POLSKA
ZNANA I MNIEJ ZNANA

Wiesi, czyli „Księżnej Gliwickiej"

POLSKA
ZNANA I MNIEJ ZNANA

ELŻBIETA
DZIKOWSKA

wydawnictwo
bernardinum

Pelplin 2014

bernardinum

Wydawnictwo „Bernardinum" Sp. z o.o.
83-130 Pelplin, ul. Biskupa Dominika 11
tel. (58) 536 17 57, fax (58) 536 17 26
bernardinum@bernardinum.com.pl
www.bernardinum.com.pl

wp•dróży

Artykuły zamieszczone w książce pochodzą z magazynu
„W Podróży" i powstały na zlecenie Wydawcy,
tj. KOW media&marketing Sp. z o.o. w Warszawie
www.kow.com.pl
www.wpodrozy.eu

Projekt okładki i elementów graficznych: Łukasz Ciepłowski
Redakcja: Edyta Urbanowicz
Korekta: Edyta Urbanowicz
Skład, dobór i opracowanie zdjęć: Łukasz Ciepłowski

Druk i oprawa: Drukarnia Wydawnictwa „Bernardinum" Sp. z o.o.
tel. 58 5364375, e-mail: drukarnia@bernardinum.com.pl

Wydanie I
ISBN 978-83-7823-392-3

POLSKA ZNANA I MNIEJ ZNANA

Poznawałam ją od wczesnego dzieciństwa, wędrując po Podlasiu; później, na studiach, wspinałam się już po wszystkich polskich górach i pływałam kajakiem po najróżniejszych rzekach i jeziorach. Były jeszcze wakacyjne obozy naukowe na historii sztuki, podczas których poznawaliśmy zabyki w najodleglejszych nawet zakątkach kraju. Z czasem świat mi Polskę przesłonił, przez wiele lat zajmowałam się Ameryką Łacińską w redakcji miesięcznika „Kontynenty", później z mężem, Tonym Halikiem, wędrowałam gdzie się dało, żeby przygotowywać filmy z cyklu „Pieprz i wanilia" i uchylić polskim widzom zamknięte w owych czasach okno na świat. Przez lata więc pokazywałam to, co dalekie, obce, egzotyczne, inne, zarówno święto, jak i dzień powszedni. Po transformacji świat się otworzył, zatem wszyscy zapragnęli go poznawać nie tylko poprzez ekran telewizora. Otrzymanie paszportu nie stanowiło już problemu, powstawało coraz więcej biur podróży proponujących atrakcyjne wyprawy na bliższe i dalsze krańce globu. Rozumiałam tę fascynację turystyczną wolnością, ale wydało mi się, że Polacy coraz bardziej zapominają o własnym kraju. Postanowiłam zatem: był „Pieprz i wanilia", teraz czas na „Groch i kapustę". Na to, co nasze, swojskie, praśne, tak przecież ciekawe i piękne.

Wydałam cztery tomy mego subiektywnego przewodnika: wszystko, co opisywałam, widziałam na własne oczy, sama zrobiłam wszystkie zdjęcia. Zaczęłam też promować Polskę w miesięczniku „W podróży", opisując to, co w Polsce znane, ale częściej to, co mniej znane, a jakże piękne i ciekawe. Odzew był bardzo ciepły, zapragnęłam więc podzielić się moimi polskimi fascynacjami z większą liczbą Czytelników. Mam nadzieję, że Wam się ta książka spodoba i że zechcecie poznawać Polskę jej śladem. Życzę pięknych wspomnień!

TORUŃ
OD KOPERNIKA DO HALIKA

Tony Halik

po prawej
Pomnik Mikołaja Kopernika
przed ratuszem

Toruń jest mi szczególnie bliski, bo to miasto niezwykłej urody. Urodził się w nim największy polski uczony. I to właśnie tu przyszedł na świat mój mąż Tony Halik.

Gdzie się urodził Kopernik – dokładnie nie wiadomo. Przyjmuje się, że w gotyckiej kamienicy zwanej dziś jego imieniem i mieszczącej jego muzeum, ale ojciec (też Mikołaj Kopernik) posiadał jeszcze dwa inne domy w Toruniu. Pewne jest, że młody Mikołaj ochrzczony został w dzisiejszej katedrze św. św. Janów, gdzie w Kaplicy Kopernika zachowała się XIII-wieczna romańska chrzcielnica; pobierał tu też pierwsze nauki w przykościelnej szkółce.

GDZIE „PIEPRZ I WANILIA"...

Tony Halik, a właściwie Mieczysław Sędzimir Halik, przyszedł na świat w domu znajdującym się przy ulicy Prostej 8, do którego – na okres porodu – przybyła z niedalekiej posiadłości Żabiny jego matka Helena. Kiedy po wojnie, jako pilot RAF-u, osiedlił się w Argentynie, nikt nie potrafił wymówić jego pięknych słowiańskich imion, toteż zamienił je w paszporcie na Antonio, które – gdy po latach zaczął pracować w amerykańskiej sieci telewizyjnej NBC – przekształciło się w Tony'ego.

Skoro jestem przy Tonym – to zapraszam najpierw do najbliższego memu sercu Muzeum Podróżników jego imienia, mieszczącym się przy ulicy Franciszkańskiej 11. Powstało ono (jako filia Muzeum Okręgowego) w 2003 r. w dawnym spichlerzu, po przekazaniu przeze mnie eksponatów, którymi ilustrowaliśmy telewizyjne programy „Pieprz i wanilia". Oprócz dokumentów, zdjęć czy sprzętu filmowego znalazły się w nim kolekcje nakryć głowy, strojów, broni, a także skóry upolowanych przez Tony'ego zwierząt. Z czasem – ponieważ ciągle podróżuję po świecie – ofiarowałam też Muzeum największy chyba w Polsce zbiór tak modnej teraz biżuterii etnicznej. Zasoby tej placówki ciągle uzupełniają także moi przyjaciele podróżnicy, dlatego miasto przekazało Muzeum Podróżników sąsiednią zabytkową kamienicę, zaadaptowaną dla jego potrzeb.

NICOLAUS COPERNICUS TORUNENSIS

Sale ekspozycyjne w Muzeum
Podróżników im. T. Halika
w Toruniu

po prawej
Spichlerz i kamieniczka
mieszczące Muzeum Podróżników
im. T. Halika przy ulicy
Franciszkańskiej

KRÓLEWIEC WIELKI, A TORUŃ PIĘKNY

Cieszę się, że Muzeum jest bardzo licznie odwiedzane przez młodzież, bowiem trop Halika, a i mój może cokolwiek, zachęcają młodych ludzi do poznawania świata.

Ja zaś chciałabym zachęcić Czytelników przede wszystkim do poznania miasta. Powiadano w dawnej Polsce: Gdańsk bogaty, Królewiec wielki, Elbląg obronny, Toruń piękny. I taki właśnie jest.

Zachował się w nim średniowieczny układ urbanistyczny z XIII wieku, kiedy to został założony przez Krzyżaków, którzy stąd właśnie chcieli wyruszać na wyprawy, by podbijać plemiona pruskie. Już w 1280 r. Toruń został członkiem Hanzy, czyli związku handlowych miast europejskich, i zaczął się niebywale bogacić. Do portu na Wiśle zawijały po towary statki morskie, a miejscowi kupcy potrafili ponoć osiągnąć nawet 700 procent zysku! Nic dziwnego, że budowali okazałe kamienice i przyozdabiali je wspaniałymi freskami. Najciekawsze oglądałam w kancelarii prawniczej przy ulicy Żeglarskiej 5, w biurze obrotu nieruchomościami „Polanowscy", a ostatnio zachwyciłam się polichromią stropów w kawiarni-cukierni „Café Molus" na toruńskim rynku, nad którą znajdują się też przepięknie zdobione apartamenty. Można w nich – i to niezbyt kosztownie – zamieszkać podczas pobytu w Toruniu.

Gotycki ratusz w Toruniu jest siedzibą Muzeum Okręgowego

poniżej
Skarb ze Skrwilna: dzban i misa do obmywania rąk, Augsburg 1615-1617

Z czasem toruńskie kamienice zaczęły otrzymywać nowy, zgodny z modą przyodziewek na fasadach. Najbardziej ozdobny przypadł kamienicy Pod Gwiazdą z XIII-wiecznym rodowodem, pokrytej w XVII wieku nadzwyczaj bogatą dekoracją stiukową. Warto do niej wstąpić, by obejrzeć kolekcję sztuki Dalekiego Wschodu ofiarowaną niegdyś Toruniowi przez wybitnego jej znawcę i zbieracza Tadeusza Wierzejskiego.

SKARB ZE SKRWILNA

Największą chlubą miasta jest jednakże ratusz staromiejski, w moim przekonaniu najpiękniejsza z czasów gotyku siedziba władz miasta na świecie, aczkolwiek wspomożona później manieryzmem i nieco barokiem, a do tego mogąca się poszczycić wspaniałą wieżą o XIII-wiecznej jeszcze metryce.

Jakąż bogatą ma toruński ratusz historię! Oprócz urzędów miejskich mieściły się w nim sąd, sukiennice, a nawet piwiarnie i winiarnie. Przede wszystkim pełnił jednak rolę reprezentacyjną.

W obecnej Sali Mieszczańskiej obradowały sejmy i sejmiki. Pod patronatem Władysława IV odbyła się tu właśnie sławna Braterska Rozmowa – debata pomiędzy katolikami, protestantami

i kalwinami. W pokojach na pierwszym piętrze gościli polscy królowie, wśród nich Jan Olbracht, który tu, niestety, w 1501 r. dokonał żywota w tajemniczych ponoć okolicznościach.

Dzisiaj w ratuszu mieści się Muzeum Okręgowe, w którym można obejrzeć wspaniałe zbiory sztuki od najdawniejszej do współczesnej, a także niezwykle ciekawą kolekcję wyrobów ze złota.

Kolekcji tej nie zgromadziło Muzeum, ale średniej zamożności szlachcic Stanisław Piwo herbu Prawdzic, i była to po prostu zastawa stołowa oraz przybory do mycia, a ponadto przepiękna biżuteria, wszystko doskonałej próby. Jakże Polska musiała być niegdyś bogata! Skarb został prawdopodobnie ukryty przez szlachcica w czasie potopu szwedzkiego, a gdy odnalazła go w 1961 r. – w Skrwilnie koło Rypina, w zbutwiałej skrzyni, wrośniętej już w korzenie drzewa – pani profesor Jadwiga Chudziakowa, stał się nie lada sensacją. Znany jest dziś jako Skarb ze Skrwilna.

Średniowieczna polichromia na stropie „Café Molus" w Toruniu

KRZYWA WIEŻA

Dzisiaj – i nie bez powodu – lubimy Szwedów, ale nikt jak oni nie złupił i nie zniszczył Polski, która już nigdy nie potrafiła się podnieść do dawnej świetności. Także pożar toruńskiego ratusza w 1703 r. to ich dzieło.

poniżej
Gotycki kościół p.w. Wniebowzięcia NMP

Pomnik flisaka na rynku
Starego Miasta

po prawej
Na toruńskiej Starówce

Przed ratuszem – pomnik Mikołaja Kopernika, jakże mogłoby być inaczej, znak firmowy miasta. Wykonał go w 1853 r. berliński rzeźbiarz Friedrich Tieck, opatrując łacińskim napisem: *Mikołaj Kopernik, toruńczyk, ruszył Ziemię, zatrzymał Słońce i Niebo*. Z drugiej strony ratusza można obejrzeć skromniejszy pomnik flisaka, który ponoć swoją grą na skrzypkach wyprowadził z miasta zagrażające mu... żaby.

Z toruńskich legend lubię te związane z Krzywą Wieżą, integralnie wkomponowaną w toruńskie średniowieczne mury. Jedna z legend powiada, że budowlę wznieśli dwaj skłóceni ze sobą bracia – każdy z nich patrzył w inną stronę, więc nic dziwnego, że wyszło im krzywo. Za karę musieli do śmierci podtrzymywać mury wieży, a i teraz rezydują w niej ponoć w charakterze duchów. Inna legenda twierdzi jednak, że wieżę zbudował Krzyżak Hugo, zakochany w pięknej toruniance. Dziewczyna nie odwzajemniała uczuć i wolała – jak sławna Wanda – zakończyć swe życie w falach Wisły niż w łożnicy niekochanego. Tak czy inaczej, wieża jest odchylona od pionu o prawie półtora metra, a to z powodu piaszczystego podłoża, które się osypywało, na szczęście jedynie do pewnego momentu.

TUBA DEI NAD MIASTEM

Poza murami, wieżą i bramami, z dawnych fortyfikacji pozostało jedynie wspomnienie po zamku krzyżackim – w postaci gdaniska, czyli latryny – bowiem wspaniała siedziba toruńskich komturów została zburzona przez samych torunian podczas wojny trzydziestoletniej między Krzyżakami a Polską, zakończonej w 1466 r. pokojem toruńskim.

Pozostały nam do zwiedzenia jeszcze toruńskie kościoły, tak wspaniałe, że umieszczono je na Europejskim Szlaku Gotyku Ceglanego. Wspomniałam już o farze, dziś katedrze (pod wezwaniem św. św. Janów Chrzciciela i Ewangelisty), związanej z dziejami Kopernika. Odkryto w jej prezbiterium znakomite gotyckie polichromie. W Kaplicy Kopernika znajduje się pełna ekspresji figura Chrystusa Ubiczowanego, w głównym ołtarzu wspaniały późnogotycki tryptyk, a na wieży – z której roztacza się rozległy widok na Stare Miasto – zawieszono w końcu XV wieku drugi największy w Polsce (po zygmuntowskim) dzwon, *Tuba Dei*, do którego zamontowania trzeba było zbudować specjalną pochylnię.

Po przeciwnej stronie rynku zachował się gotycki kościół pofranciszkański p.w. Wniebowzięcia NMP. Od XVI do XVIII wieku była to świątynia protestancka i dlatego pochowano tu niegodną katolickiego Wawelu siostrę króla Zygmunta III Wazy, Annę Wazówną. Była to niezmiernie wykształcona na owe czasy kobieta. Patronka uczonych i literatów, znała pięć języków obcych, zajmo-

wała się przyrodoznawstwem, jako pierwsza ponoć uprawiała tytoń, ale – jak przystało – do celów leczniczych. Jej alabastrowy sarkofag znajduje się w prezbiterium, na lewo od ołtarza głównego, a maleńka trumna spoczywa w podziemnej krypcie. Na ścianach świątyni przetrwały piękne malowidła przedstawiające Chrystusa Biczowanego przy Kolumnie i Matkę Boską Bolesną, a także wyjątkowej urody XV-wieczne stalle i młodsze o wiek epitafium z najdawniejszym widokiem Torunia.

Mnie urzeka jednak najbardziej imponujący architektonicznie kościół św. Jakuba na Nowym Mieście, które było niegdyś osobnym organizmem. Tam też zachowały się malowidła ścienne z chlubą warsztatów toruńskich – „Ukrzyżowaniem na Drzewie Życia" z końca XIV wieku. We wnętrzu świątyni, w której wystroju splotły się różne epoki, rezyduje do dzisiaj duch dawnych czasów, skłaniający do kontemplacji i refleksji.

Gotycki kościół p.w. Wniebowzięcia NMP

po lewej
Kamienica „Pod Gwiazdą" w Toruniu

na następnych stronach
Fasada gotyckiego ratusza w Toruniu

PIERNIKOWA ALEJA GWIAZD

Toruń w dawnej Polsce miał przednią renomę. Znane było w niej porzekadło o tym, co najlepsze w kraju: „gdańska wódeczka, krakowska dzieweczka, warszawski trzewiczek, toruński pierniczek". Więc bez pierników o Toruniu opowiadać nie sposób, skoro – gdy rodziła się córka – rodzice od razu zagniatali ciasto, z którego miały powstać pierniki na jej ślub. Toruńskie pierniki były też znakomitym prezentem, nawet dla głów koronowanych.

Ich rodowód wyjaśnia legenda. Oto w czasach zarazy siostra Katarzyna nie miała czym nakarmić swoich towarzyszek ani podopiecznych. Gdy załamywała ręce z rozpaczy, ulitował się nad nią mysi król Kocistrach, którego niegdyś uratowała przed pazurami ogromnego kota.

Z wdzięczności zaprowadził ją do klasztornych piwnic, gdzie leżakowały od pół wieku dzieże z ciastem, z którego siostra upiekła przepyszne pierniki i uratowała mieszkańców Torunia od śmierci głodowej. Na jej cześć nazwano je katarzynkami.

Od 2003 r. przyznaje się „katarzynki" osobom zasłużonym dla Torunia, które składają swój autograf na katarzynce z brązu, umieszczanej w Piernikowej Alei Gwiazd przed Dworem Artusa. Znaleźli się w niej między innymi Regina Smendzianka, Grażyna Szapołowska, Stefania Toczyska, Aleksander Wolszczan i Leszek Balcerowicz. Poczytuję sobie za wielki zaszczyt, iż dołączono do tej wielce nobliwej listy także moje nazwisko.

BYDGOSZCZ
MIASTO NAD TRZEMA RZEKAMI

Piękny portal renesansowy
w Kościele Garnizonowym

po prawej
Pobernardyński Kościół
Garnizonowy p.w. NMP
Królowej Pokoju

Nad dwiema dużymi, w tym jedną „królową", bo to Wisła, zaś druga to Brda, nazwijmy ją „księżną". Ale jest jeszcze Kanał Bydgoski i wiele rzek skromniejszych, ot – rzeczek, jednak jakże ważnych kulturotwórczo dla miasta. Najbardziej urzekła mnie Młynówka, w której odbija się nadbrzeże zwane Bydgoską Wenecją, a do tego rozsiadła się na niej Wyspa Młyńska z oryginalnymi zabytkami. Cieki wodne, wzdłuż których rozwijało się miasto, liczą ponad 50 kilometrów. Ponadto jest tu prawie pół setki różnych zbiorników wodnych, stawów, starorzeczy, nawet jezioro... Balaton. To woda określa charakter Bydgoszczy, decyduje o urodzie jej architektury. Polecam szczególnie nadrzeczny spacer wieczorem, kiedy budynki publiczne są rzęsiście oświetlone.

BYDGOSKI WĘZEŁ WODNY

Brzmi to określenie dość technicznie, ale wiążą się z nim historie rozmaite. Na przykład ta związana z Wisłą, która nie jest tu prostą, grzeczną rzeką, ale wpycha się do miasta kolanem zwanym Bydgoskim Zakolem Wisły. Już w czasach rzymskich pełniło ono usługi transportowe, bo tędy biegł przecież szlak bursztynowy. Także w średniowieczu płynęły tym nurtem tratwy i szkuty z ładunkiem, bywało, że utraconym; nie bez powodu Sebastian Klonowic nazwał Zakole w 1595 r. Czarcimi Wrotami, bo podobno to czarci właśnie wysypali dno rzeki zdradzieckimi kamieniami. W osiedlu Brdyujście do Zakola – jak wynika z nazwy – wlewa się księżna Brda. Znaczenie obu rzek znacznie wzrosło od czasu, gdy w 1774 r. powstał Kanał Bydgoski, bo on to właśnie – może nazwiemy go kanclerzem koronnym? – zadecydował o powstaniu tytułowego Węzła. Nic dziwnego: dzięki niemu Wisła – poprzez Noteć i Wartę – zyskała połączenie z Odrą; towary z Rosji mogły spływać aż do Prus i odwrotnie. Kanał stymulował rozwój żeglugi, handlu i transportu. Rozkwitały gospodarczo położone nad nim miasta, a przede wszystkim Bydgoszcz, która, doceniając znaczenie swojego Węzła Wodnego, uznała oficjalnie, że to on stanowi o jej tożsamości. Wszystko, co najważniejsze, dzieje się więc tu nad wodą.

Kościół Wniebowzięcia NMP
należy do zespołu byłego
klasztoru klarysek (XVI, XVII w.)

po prawej
Katedra św. św. Marcina
i Mikołaja

BYD I GOST ZAKŁADAJĄ GRÓD

Miasto powstało zapewne dzięki dogodnemu brodowi na Brdzie. Jego przodkiem jest dzisiejsza dzielnica Fordon, niegdyś Wyszogród, gdzie już w XI wieku istniało nieźle zachowane do dziś obronne grodzisko z wysokimi wałami i głęboką fosą. Legenda powiada, że zatrzymał się tam w 997 r. – kiedy grodziska jeszcze nie było – podążający do Prus św. Wojciech. Przypisuje mu się nawet poświęcenie kościoła p.w. św. Marii Magdaleny – może wiec jednak gród już wtedy istniał? Tajemniczych opowieści związanych z Bydgoszczą jest więcej. Jej nazwa ma pochodzić od imion braci Byd i Gost, którzy wędrując z południa ku morzu poszukiwali miejsca na założenie osady. Miało być w nim dużo lasów (ze względu na potrzebne drewno na budulec oraz zwierzynę), a także wody zapewniającej dogodny transport i obfitość ryb. Takie idealne warunki miała spełniać okolica nad Brdą, z której prowadziły w dodatku szlaki handlowe z południa na północ i z zachodu na wschód. Nazwali ją od swoich połączonych imion Bydgost, co z czasem zmieniło się w Bydgoszcz.

Dzisiejsza Bydgoszcz przypomina swoje legendarne dzieje w organizowanym od 2009 r. Festiwalu Legend Bydgoskich. Można na nim zobaczyć inscenizowane historie z różnych wieków, na przykład tę średniowieczną o pięknej Angelice, która zabiła rycerza w czarnej zbroi, gdyż uśmiercił jej ukochanego, a okazało się, że owym rycerzem był jej ojciec; z rozpaczy rzuciła się w wody Brdy. Straszyła potem jako Biała Dama na murach zamczyska. Najnowsza legenda pochodzi z lat 70. ubiegłego stulecia, kiedy to uszkodzono w browarze rury wodociągowe, którymi zamiast wody przez kilka godzin miało płynąć piwo; niektórzy bydgoszczanie napełniali nim ponoć nie tylko kufle, ale nawet wanny...

Wróćmy jednak do prawdziwych dziejów. Miały one wczesne epizody pruski i krzyżacki, ale to Kazimierz Wielki lokował tu w 1346 r. na miejscu dawnego grodu miasto na prawie magdeburskim. Rozwijało się pomyślnie, czerpiąc dochody z handlu zbożem, piwem i solą, czemu sprzyjały trakty wodne. Działały w Bydgoszczy cechy skupiające aż 81 zawodów. Za Zygmunta III Wazy wybito w miejskiej mennicy największe w Europie, najbardziej cenione na świecie złote monety o wartości 100 dukatów. Ważyły ponad 35 deka, a zaprojektował je słynny medalier Samuel Ammon. Nie używano ich w obrocie handlowym, stanowiły raczej cenny, prawdziwie królewski podarunek. Miasto miało zamek, ratusz, kilka kościołów, było otoczone murami i fosą. Umocnienia nie powstrzymały jednakże szwedzkiego potopu, który okazał się bardziej niszczący niż wszystkie razem wzięte powodzie. Szwedzi wysadzili w powietrze zamek, w zaciętych walkach zginęła połowa ludności. Miasto podupadało, a gdy zaczęło się już dźwigać – w rezultacie

I rozbioru Polski znalazło się w 1772 r. we władaniu Prus. Doprowadziło to do jego znacznego zniemczenia, ale także rozwoju. W XIX wieku nazywano je „małym Berlinem". Do Polski wróciło w 1920 r.

NAJPIERW – DO KOŚCIOŁA

Czy ktoś jest wierzący, czy nie – do kościołów przynajmniej zaglądać należy, bo to najstarsze nasze muzea. W Bydgoszczy tych średniowiecznych zachowało się niewiele, najwięcej jest neogotyckich, które należały w przeszłości – a niektóre należą również obecnie – głównie do ewangelików. Tym bardziej warto odwiedzić najzacniejszy zabytek miasta, katedrę św. św. Marcina i Mikołaja, późnogotycką, chlubiącą się najpiękniejszym ponoć wizerunkiem Madonny w Polsce zwanej Matką Bożą z Różą albo Matką Bożą Bydgoską, z XVI wieku. W okresie zniemczania katedra była ważnym przytułkiem duchowym Polaków. Dzieje przechodziła różne w czasie wojen napoleońskich i Francuzi, i Rosjanie wykorzystywali ją jako magazyn, ucierpiała też podczas II wojny światowej. Ubyło jej nieco kaplic, ale po starannym remoncie zachęca do odwiedzin. Pięknie też odbija się w wodach Brdy.

Namawiam również do odwiedzenia gotycko-renesansowej świątyni klarysek z ciekawym wyposażeniem wnętrza, zarówno z czasów dawnych, jak i nam bliższych, bowiem wizerunek św. Stanisława Kostki namalował tak bardzo związany z Bydgoszczą Leon Wyczółkowski. Przez wiele lat znakomity ten artysta mieszkał

Obraz Matki Bożej Pięknej Miłości (inaczej Matki Bożej z Różą) w katedrze św. św. Marcina i Mikołaja

po lewej
Wnętrze katedry
św. św. Marcina i Mikołaja

Pomnik Walki i Męczeństwa
Ziemi Bydgoskiej autorstwa
Franciszka Masiaka

po prawej
Opera Nova zbudowana w zakolu
Brdy mieści teatr operowy i
muzyczny

następne strony
Bulwar nad Kanałem Bydgoskim.
Autorem rzeźby jest Jerzy Kędziora

poniżej
Kłódki na Moście Zakochanych.
Nowożeńcy klucze od nich
wrzucają do Brdy

Bydgoska Wenecja

w nieodległym Gościeradzu – miał tam ulubiony dworek, a w nim pracownię. Często jednak odwiedzał gród nad Brdą i już od 1924 r. ofiarowywał miastu swoje dzieła, zaś po jego śmierci żona przekazała bydgoskiemu muzeum aż 425 prac artysty. Nic dziwnego, że Muzeum Okręgowe nosi imię Leona Wyczółkowskiego. Zajmuje kilka budynków, za szczególnie godne uwagi uważam te w dawnym klasztorze klarysek, ale warto obejrzeć również zbiory znajdujące się w Białym i Czerwonym Młynie na Młyńskiej Wyspie.

BYDGOSKIE *PROFANUM*

Czyli zabytki świeckie, a jest ich tu szczególnie dużo. Stary ratusz gotycko-renesansowy skończył wprawdzie swój żywot w XIX wieku, ale kolejni ojcowie miasta funkcjonują w równie zacnej budowli: w dawnym kolegium jezuickim z XVIII wieku. Jeśli wybierzecie się do śródmieścia (a uniknąć tego nie sposób), zwróćcie uwagę na piękne kamienice secesyjne, ponoć najciekawsze w Polsce po łódzkich. Najwięcej ich w Dzielnicy Muzycznej, a tę nazwę nadano nie bez powodu, tu bowiem znajdują się gmachy szkoły muzycznej, akademii muzycznej i filharmonii, którą zdobią między innymi wspaniałe gobeliny zaprzyjaźnionego niegdyś ze mną jednego z największych polskich artystów Tadeusza Brzozowskiego. Chlubą bydgoskiej filharmonii jest oczywiście Rafał Blechacz, zwycięzca XV Konkursu Chopinowskiego. Miasto dumne jest także z pięknie położonego nad Brdą gmachu Opera Nova otwartego w 2008 r. Jego budowa trwała najdłużej w Polsce, 34 lata i 5 miesięcy; to smutny rekord, ale rezultat wygląda imponująco. W Bydgoszczy odbywa się około 100 różnego typu festiwali kulturalnych rocznie, najwięcej muzycznych, nic więc dziwnego, że miasto kandydowało do tytułu Europejskiej Stolicy Kultury.

Miło mi, że patronem II Bydgoskiego Festiwalu „Podróżnicy" był Tony Halik, którego imienia nagrody wręczałam zwycięskim globtroterom.

CHEŁMNO
MIASTO ZAKOCHANYCH

Prospekt organowy w kościele
Wniebowzięcia NMP

po prawej
W kościele Wniebowzięcia
NMP znajdują się relikwie
św. Walentego

Chełmno nosi ten nieformalny tytuł przez cały rok, ale atmosferę sprzyjającą miłości odczuwa się tu szczególnie na początku roku, bowiem 14 lutego to dzień świętego Walentego, patrona Walentynek, obchodzonych na zachodzie Europy od średniowiecza, a w Polsce od końca ubiegłego stulecia.

W Chełmnie, w kościele p.w. Wniebowzięcia NMP znajdują się relikwie św. Walentego: niewielki fragment czaszki umieszczony w ośmiokątnej srebrnej puszce ze szklaną kopułką, dzięki czemu można było niegdyś nie tylko spojrzeć na relikwie, ale nawet je ucałować. Zwłaszcza 14 lutego, w dniu odpustu patrona zakochanych, kiedy jego szczątki, a raczej szczątek, przenoszono w procesji do kościoła św. Ducha.

KAPŁAN, ZAKOCHANY, MĘCZENNIK

Kim był patron zakochanych? Rzymskim lekarzem i kapłanem. Żył w III wieku n.e., kiedy cesarz Klaudiusz II Gocki zabronił młodym mężczyznom zawierania związków małżeńskich, przekonany, że lepszymi legionistami będą żołnierze niemający rodzin. – To nieludzkie – osądził rozporządzenie biskup Walenty i błogosławił zakazane związki, za co cesarz wtrącił go do więzienia. Tam właśnie, w rzymskich kazamatach, zakochał się Walenty w córce strażnika, co w owych czasach nie było niczym zdrożnym dla kapłana, gdyż celibat wprowadzono dopiero w XI wieku. Dziewczyna była niewidoma, ale miłość biskupa przywróciła jej ponoć wzrok. Cud rozgniewał cesarza, skazał więc biskupa na karę śmierci. Wyrok wykonano 14 lutego 269 r., dlatego właśnie tego dnia obchodzi się święto zakochanych, Walentynki. Najuroczyściej – w Chełmnie.

„KRAKÓW PÓŁNOCY"

Tak nazywano Chełmno z uwagi na urodę i wagę jego zabytków. Chełmno i Toruń to najstarsze miasta w północnej Polsce. Obydwa założono w 1233 r. na – no właśnie! – prawie chełmińskim, wprawdzie pochodnym od magdeburskiego, ale łaskawszym dla osadników. Mieli oni dzięki niemu łagodniejsze powinności wojskowe, a jeśli nie posiadali synów, mogli swoje dobra przekazywać córkom

(w prawie magdeburskim w takim przypadku dobra przechodziły na własność biskupa). Nic dziwnego, że na atrakcyjnym w owych czasach prawie chełmińskim lokowano około 200 miast. Oficjalne datowanie poprzedzają pradzieje, nieopodal bowiem znajdowało się sięgające przed naszą erę grodzisko kultury łużyckiej, a Chełmno, zapewne dzięki posadowieniu na szlaku handlowym, rozkwitło już w okresie wczesnopiastowskim; w XI wieku istniała tu romańska kolegiata. Przez 20 lat (1230-1250) Chełmno było głównym miastem Zakonu Krzyżackiego i siedzibą komturii oraz diecezji chełmińskiej. Były to lata tłuste, wkrótce stać było mieszkańców na wybudowanie wspaniałej trzynawowej fary (1280-1320), oczywiście w panującym wówczas stylu gotyckim, który przetrwał nie tylko w architekturze świątyni, ale także w jej wystroju rzeźbiarskim i we fragmentach polichromii.

Fragment gotyckiego sklepienia w kościele Wniebowzięcia NMP

po lewej
Fasada kościoła św. św Jakuba i Mikołaja w Chełmnie

Z dawniejszych czasów romańskich zachowała się chrzcielnica zwana „gotlandzką", z późniejszych – barokowe ołtarze. Na zwieńczeniu północnej nawy znajduje się wielce czczony obraz Matki Boskiej Bolesnej zwanej Chełmińską. Zwróciłam jeszcze uwagę na umieszczony obok głównego portalu świecznik w kształcie głowy jelenia zawieszony na konopnej linie. Jest to – ciekawostka! – swoisty barometr, który, gdy sucho, odchyla się ku ołtarzowi, zwiastując dobrą pogodę, kiedy zaś wilgoć – kieruje się w drugą stronę, zapowiadając deszcz.

WARTO WEJŚĆ NA WIEŻĘ

Nie omińcie, proszę, także wieży. Kiedy się na nią wspięłam po stromych schodach, roztoczył się przede mną wspaniały widok na miasto rozłożone malowniczo na wiślanej skarpie, a powiada się też, że na dziewięciu wzgórzach, co potwierdza herb grodu. Fasada fary ma niby dwie wieże, jednak ta druga jest znacznie niższa, mało zauważalna. Legenda mówi, że murarze tak szybko chcieli ją ukończyć, że pracowali nawet w niedziele. Nie podobało się to Bogu, więc skarcił ich piorunem, który ich dzieło obalił.

Z wieży roztacza się też widok na chełmińskie kościoły. Niegdyś było ich siedem, pozostało pięć, wszystkie z gotyckim rodowodem, umieszczone na Europejskim Szlaku Gotyku Ceglanego. Widać też z wieży doskonale, jak znakomicie zachował się średniowieczny układ urbanistyczny miasta. Do dziś otaczają jego starówkę prawie kompletne mury z połowy XIII wieku, mające 2270 metrów długości. Zachowało się w nich 17 baszt i dwie bramy wjazdowe (niegdyś było ich siedem), Grudziądzka i Merseburska.

Panorama Chełmna z zabytkową,
XIX-wieczną wieżą ciśnień

po prawej
Gotycko-renesansowy ratusz
w Chełmnie jest jednym
z najpiękniejszych w kraju

RATUSZ NAJPIĘKNIEJSZY

Najbardziej znanym zabytkiem Chełmna jest jednakże ratusz, który rozsiadł się na rynku, jednym z największych w kraju, otoczonym zasłużonymi wiekiem kamieniczkami. Najciekawsza z nich, kamienica Cywińskich, na rogu rynku przy ulicy Rycerskiej, ma metrykę z XIII wieku, ale została przebudowana najpierw w duchu renesansu, potem klasycyzmu. Zachowało się w niej jednak kilka pięknych dawniejszych detali, zwłaszcza fragmenty dwóch portali ze scenami rzeźbiarskimi. Sam ratusz też zrazu był gotycki, ale w XVI wieku powiększono go znacznie i nadano wyjątkowo piękną szatę renesansowo-manierystyczną, ozdabiając attyką tak wysoką, że w XIX wieku ukryto za nią bez trudu drugie piętro budowli. Wysmakowane proporcje, ciekawie obramowane okna, zdobne portale tudzież smukła wieża (1596) z bogatym hełmem i zegarem z warsztatu znanego mistrza Grzegorza Wilhelma sprawiają, że chełmiński ratusz uważa się za jeden z najpiękniejszych w Polsce. W dawnych czasach oprócz pomieszczeń dla radnych (piękna Sala Radziecka) mieściły się w nim ławy kupieckie, waga miejska, sąd, a nawet więzienie. Obecnie ratusz jest siedzibą nie tylko ojców miasta, ale także Muzeum Ziemi Chełmińskiej z ciekawymi zbiorami historycznymi, archeologicznymi i etnograficznymi.

Stary zegar na jednej z kamieniczek na rynku

poniżej
Brama Grudziądzka - jedna
z dwóch zachowanych bram
miejskich

PRĘT CHEŁMIŃSKI

Na północnej ścianie – zobaczcie to koniecznie! – umieszczono nieefektowną z pozoru żelazną sztabę, a to jest właśnie sławny pręt chełmiński, miara stosowana w całym państwie krzyżackim. Liczył on 4,35 m, dzielił się na 7,5 łokcia (łokieć = 58 cm) i 16 stóp (stopa = 27 cm). Większą jednostką miary był sznur liczący 10 prętów. Za pomocą pręta chełmińskiego wyznaczano między innymi szerokość ulic, która winna wynosić 2,5 pręta, czyli około 11 metrów. Takimi właśnie ulicami chodziłam po tym niezwykle urokliwym i tak nie-słusznie mało znanym mieście.

PRAWDZIWY AFRODYZJAK

Gdzie najlepiej spędzić Walentynki? Oczywiście w Chełmnie, gdzie obchody tego święta trwają cztery dni. Można się wówczas pokłonić relikwiom świętego patrona wystawionym w farze oraz wziąć udział w licznych świeckich imprezach pod hasłem miłości. Są koncerty piosenki miłosnej, na rynku układa się wielkie serce z kilku tysięcy świec, organizuje się wystawy o tematyce poświęco-nej zakochanym, pokazy kulinarne i degustacje, a nawet warsztaty

„Alchemia i amory w kuchni". Można się też zapoznać ze staran-
nie wydanym reprintem dzieła chełmińskiego wydawcy Wincentego Fiałka, „Sekretarz miłosny, czyli podręcznik dla zakochanych"
(1893) z wzorami listów miłosnych i tekstami eleganckich oświad-
czyn. Można skosztować bułeczek z lubczykiem, pomocnym ponoć
w kłopotach małżeńskich, ale tylko wtedy gdy… wykopano lubczyk
z nacią pierwszego października o szóstej rano. Łatwiej kupić uko-
chanej ciastko w kształcie serca dostępne w każdej cukierni. Zachę-
ciłam? To do zobaczenie w Chełmnie!

W Chełmnie zachowały się piękne,
secesyjne kamienice z ozdobnymi
oknami

następne strony
Panorama Chełmna z wieży
kościoła Wniebowzięcia NMP.
Na środku rynku dominuje ratusz

GRUDZIĄDZ
MIASTO SPICHRZÓW I CYTADELI

Są w Grudziądzu i inne zabytki, ale te – spichrze i Cytadela – najbardziej określają charakter miasta. Są jeszcze średniowieczne mury, z którymi spichrze się łączą i tworzą razem niezwykłą panoramę od strony Wisły. Podziwiałam ją także z nieba, lecąc awionetką z zaprzyjaźnionym pilotem. Niewiele więcej pozostało po grudziądzkich dziejach, bowiem w kilkudziesięciu procentach miasto zostało zniszczone przez obie armie – niemiecką i radziecką w zaciętych bojach podczas ostatniej wojny. Kiedy wreszcie 6 marca 1945 r. po długim oblężeniu Grudziądz padł – w Moskwie oddano 20 triumfalnych salutów armatnich.

W centralnym punkcie panoramy rynek na Starym Mieście

po prawej
Katedra i ratusz w Grudziądzu

NA POCZĄTEK – OSOBIŚCIE

Z Grudziądzem jestem związana rodzinnie, tam przez długie lata mieszkali moi wujostwo, a wuj, inżynier, rozbudowywał miejskie i podmiejskie drogi. I – to zwierzenie bardzo jak na mnie intymne – właśnie w Grudziądzu brałam ślub z moim pierwszym mężem Andrzejem Dzikowskim. Ponieważ miało to miejsce w farze św. Mikołaja, dziś bazylice mniejszej, więc o niej opowiem.

Zanim powstała ta świątynia, istniał już pewnie w Grudziądzu inny zabytek sakralny, pewnie drewniany, bowiem i za Piastów, i za Krzyżaków było to już miasto chrześcijańskie. W końcu XIII wieku zaczęto wznosić murowane prezbiterium ukończone na początku następnego stulecia, później doszły nawy, kaplice, wieże, pewnie w guście późnego gotyku, ale gdy zniszczyli je w potopie nasi przyjaciele Szwedzi, odbudowa miała już charakter barokowy. W końcu XIX wieku znowu rewolucja stylowa – nadano świątyni formę neogotycką, szczęśliwie dość dyskretną; jej charakter jest raczej masywny niż pełen naśladowczych dywagacji. Podczas ostatniej wojny i tak wszystko niemal runęło i spłonęło, więc znowu zaczęła się odbudowa. Staranna, nie powiem: mury zostawiono surowe, z czerwonej cegły, zamówiono malatury, odkryto nawet fragmenty średniowiecznych polichromii. Kiedy brałam tu ślub w wieku lat dwudziestu, a nie studiowałam jeszcze historii sztuki, świątynia wydała mi się imponująca i najpiękniejsza w świecie. Także i dziś przyznaję, że posiada metafizyczną atmosferę.

Nieopodal bazyliki wybudowano w XVIII wieku kościół jezuicki p.w. św. Franciszka Xawerego, z którym także jestem emocjonalnie związana. Już jako zaawansowana nieco mężatka robiłam drugie – po filologii chińskiej – magisterium, na historii sztuki. Aby połączyć oba kierunki, wybrałam temat „Moda na chińszczyznę w polskiej sztuce sakralnej" i znalazłam jej przejawy miedzy innymi w Grudziądzu. Skromne motywy orientalne zdobiły ambonę w kościele św. Mikołaja, natomiast kościół pojezuicki był pełen odniesień do Wschodu w swoim bogatym, rokokowym zdobnictwie. Dlaczego? Otóż jezuici prowadzili misje w różnych miejscach na świecie, także na Dalekim Wschodzie, skąd przywozili modne w XVIII wieku w Europie inspiracje. Kościół jest spójny stylowo zarówno w architekturze, jak i w wystroju wnętrza i on to, moim zdaniem, stanowi przysłowiową perłę miasta, zwłaszcza że masą perłową jego detale są inkrustowane.

W XVIII w. było
w Grudziądzu aż 30 spichlerzy

po lewej
Stare Miasto w Grudziądzu,
widok od strony Wisły

OBRONNE MURY – ALE TAKŻE SPICHRZE

Najstarsze dzieje miasta można kontemplować, wędrując szlakiem miejskich murów i spichrzów. Dlaczego to jeden szlak? Ano, bo spichrze pełniły też niegdyś funkcję obronną. Ich dzieje zaczynają się w średniowieczu. Miasto zostało lokowane formalnie w 1291 r., wkrótce trzeba je było zabezpieczyć i tak w XIV stuleciu zaczęto wznosić podwójne mury, wieże, bramy i baszty. W tym samym czasie powstawały nad Wisłą spichrze, od strony skarpy wielokondygnacyjne, od miasta – znacznie niższe, ceglane, z drewnianym wystrojem od środka. Grudziądz był ważnym portem przeładunkowym zboża, które sypano ze spichrzy drewnianymi rynnami prosto na statki. W XVIII wieku było tych spichlerzy aż 30, z czasem zaczęło ich ubywać: a to popadały w ruinę, a to bywały zamieniane na siedziby mieszkalne, z większymi już oknami, a nawet balkonami. Na początku XVII stulecia w jednym z nich mieścił się nawet kościół ewangelicki. Odbudowane po wojnie, służą dzisiaj jako magazyny i mieszkania, ma tam też swoją siedzibę filia grudziądzkiego muzeum. Samo muzeum zajmuje głównie zabudowania klasztoru benedyktynek i Pałacu Opatek, do którego także mam stosunek ciepły, ponieważ miałam w nim wystawę swoich fotografii.

CYTADELA

Symbolem miasta mógłby być zamek. Gdyby istniał. Wznieśli go Krzyżacy w drugiej połowie XIII wieku, rozebrali Prusacy w XIX stuleciu. Jego dumą była kaplica ze sławnym Poliptykiem Grudziądzkim, dziś znajdującym się w Muzeum Narodowym. Gościli na nim polscy królowie, a nawet car Piotr Wielki. Przestał istnieć, bo była potrzebna cegła na budowę więzienia, a przede wszystkim

Bazylika św. Mikołaja
w Grudziądzu

poniżej
Brama wjazdowa do
Cytadeli w Grudziądzu

Cytadeli, a on stanowił ogromne – choć niewystarczające, jak się okazało – jej zaplecze. Dzisiaj wzgórze zamkowe to przede wszystkim atrakcyjne miejsce widokowe dla tych, którzy chcą sfotografować panoramę Grudziądza.

Cytadela stanowiła centralny punkt Twierdzy Grudziądz, mającej bronić miasta przed ewentualnym atakiem wojsk rosyjskich. Rozkazał ją wznieść król Prus Fryderyk II w 1776 r., ukończono ją w 1789 r., ale tak naprawdę prace trwały aż do ubiegłego wieku. Powstał rozległy system fortów, Cytadela i most obronny. Projektantem był prawdopodobnie Paul von Gontzenbach.

Twierdza Grudziądz była jedną z najokazalszych w Europie. Pracowało przy niej około siedmiu tysięcy robotników, a kiedy zabrakło budulca – sprowadzono z Prus 180 wyspecjalizowanych fachowców i zaczęto wytwarzać własne cegły, posiłkując się nadto wspomnianym materiałem z rozbieranego zamku. Prace, podobnie jak obecnie przy budowie drugiej linii warszawskiego metra, hamowała wytryskująca z podziemnych źródeł woda. Koszty realizacji ambitnego zamierzenia były przeogromne: zamiast przewidzianych prawie dwóch milionów srebrnych talarów wydano dwa razy więcej.

Czy te obronne inwestycje okazały się przydatne? Zapewne odstraszały przed militarną napaścią, ale tak naprawdę sprawdziły się jedynie podczas kampanii napoleońskiej. Polskie wojska atakowały twierdzę, w której część załogi także była polska, zatem starała się ją opuścić; odnotowano przypadki dezercji. Najwięcej spustoszeń uczyniła jednak epidemia, która pochłonęła kilkaset żołnierskich

Widok Grudziądza
wraz z rzeką Wisłą

istnień. Podchody i odchody trwały kilka miesięcy, lecz gdy miało już dojść do ostatecznego szturmu zawarto rozejm, a wkrótce podpisano pokój w Tylży i dalsze oblężenie przestało mieć sens. Twierdza Grudziądz pozostała niezdobyta. Dopiero w marcu 1945 r. zmuszono do opuszczenia Cytadeli oddziały niemieckie – około pięciu tysięcy żołnierzy i oficerów. Dzisiaj Cytadela i forty nadal mają charakter wojskowy, ale można uzyskać zgodę na ich zwiedzanie. Warto, bo zachowały się całkiem nieźle, a dawne mury inspirują do poznania historii miasta.

Zachęcam do odwiedzenia Grudziądza wiosną albo latem – wtedy miasto wygląda najpiękniej, zatopione w kwiatach, a grudziądzkie skwery to prawdziwe dzieła ogrodniczej sztuki. Gdyby sprzyjał czas, warto przy okazji odwiedzić odległy zaledwie o 15 kilometrów Radzyń Chełmiński. Nie sposób nie dostrzec z drogi imponujących ruin gotyckiego zamku krzyżackiego z przełomu XIII i XIV wieku; po grunwaldzkiej batalii zajął go Władysław Jagiełło, a w nim ponoć ogromne kosztowności Wielkiego Mistrza Zakonu. Kres jego istnieniu położyły wojska szwedzkie, a potem rozbiórka na materiał budowlany. Średniowieczną metrykę ma też – później przebudowywany – kościół parafialny p.w. św. Anny z barokowym wystrojem wnętrza; wyróżnia się w nim obraz nadwornego malarza Władysława IV Bartłomieja Strobla, który w 1643 r. stworzył dla tej świątyni obraz „Koronacja Marii ze św. Łukaszem i św. Mikołajem", a dzieła jego warsztatu ozdobiły strop prezbiterium. Drewniane i murowane domy radzyńskiego „śródmieścia" świadczą o stylu miejscowego budownictwa od XVIII wieku. Miłych wrażeń!

MAZURY
CUD NATURY

O Krainie Tysiąca Jezior można by napisać wiele, a i tak nie uda się oddać jej uroku. Dlatego, aby w pełni docenić przyrodę i skarby Mazur, najlepiej po prostu tam pojechać.

„Mazury – cud natury" – z przekonaniem głosowałam na to hasło, nie zmartwiłam się jednak, kiedy Mazury nie wygrały plebiscytu „Siedem Nowych Cudów Natury" w 2011 r. Urok Krainy Tysiąca Jezior (w rzeczywistości jest ich ponad trzy tysiące) polega także na tym, że – zwłaszcza poza sezonem – mogę tu jeszcze zażyć względnego odosobnienia, relaksującego kontaktu z niezadeptaną jak dotąd dziewiczą naturą. Byłoby to niemożliwe, gdyby Mazury stały się tak sławne jak Niagara czy Wielki Kanion. Gdyby do tego doszło – co, oczywiście, połechtałoby także moją dumę narodową – nadal pozostałby mi czynny odpoczynek na mazurskiej ziemi.

Wieża ciśnień w Giżycku

po prawej
Na mazurskich jeziorach

MAZURY BEZ MAZURÓW

Ziemia ta zrazu nie była mazurska. Po wcześniejszych kulturach, sięgających 15 tysięcy lat wstecz, zamieszkiwali ją wschodni Bałtowie, nazwani z czasem Prusakami. Los plemion pruskich był tragiczny: najpierw nawracali je krzyżem misjonarze, wśród nich św. Wojciech, potem – mieczem – Krzyżacy. Jako że ziemie zamieszkane przez pogan uważano w owym czasie za niczyje, rycerze Zakonu Szpitala Najświętszej Marii Panny Domu Niemieckiego, jak oficjalnie nazywano Krzyżaków, dążyli przede wszystkim do założenia na nich osobnego państwa. Sprowadzali tu niemieckich osadników, którzy zakładali wsie i miasta, tworząc własną strukturę administracyjną.

Polskę oskarżano o popieranie pogaństwa, ale jeszcze dzisiaj możemy być dumni z wystąpienia Pawła Włodkowica, rektora Akademii Krakowskiej, który na soborze w Konstancji potępił (w imieniu Władysława Jagiełły) nawracanie siłą, podkreślając, że narody mają prawo do zachowania tożsamości, niezależnie od wiary i obyczajów.

Jeszcze w XV wieku Prusacy stanowili ponoć połowę mieszkańców Mazur, jak nazwano te tereny w XIX stuleciu. Asymilowali się, emigrowali, dziesiątkowały ich epidemie. Po pokoju toruńskim (1466) zaczęli tu napływać osadnicy z Mazowsza, którzy z cza-

Mazurskie jeziora połączone są
licznymi kanałami

poniżej
Takich małych jeziorek
na Mazurach jest bez liku

sem stali się Mazurami. Etniczny kalejdoskop wzbogacali Niemcy, Szwajcarzy, Rusini, Litwini, Francuzi, Romowie, a po II wojnie światowej także ludzie wysiedleni z Kresów Wschodnich i przesiedleni z Bieszczad w ramach akcji „Wisła". Władza ludowa niby Mazurów wyzwoliła, choć potraktowała ich jak Niemców, zmuszając do emigracji. Dziś mieszka ich na Mazurach zaledwie około pięciu tysięcy, za to wielokrotnie więcej przyjeżdża jako turyści.

Mazury stały się modne. Wielu celebrytów ma tu jachty i domy. Jednym z pierwszych znanych ludzi, którzy szukali tu wypoczynku i natchnienia, był poeta Konstanty Ildefons Gałczyński – jego wiersze uczyłam się niegdyś na pamięć.

ZIELONY KONSTANTY, SREBRNA NATALIA

Gałczyński z ukochaną żoną Natalią i córeczką Kirą początkowo jedynie odwiedzał położoną nad jeziorem Nidzkim leśniczówkę Pranie. Potem się tutaj osiedlił – mazurski klimat sprzyjał nie tylko zdrowiu, ale i twórczości. Tu powstały wspaniałe poematy „Zaczarowana dorożka", „Wit Stwosz", „Niobe" tudzież inne utwory autora „Zielonej Gęsi", czyli jakże popularnego „najmniejszego teatrzyku świata". Figurkę zielonej gęsi wyrzeźbił nawet znakomity artysta Alfons Karny. Niewykluczone, że to właśnie wielbiciel teatrzyku ukradł tę rzeźbę z biurka poety, które do dziś znajduje się w leśniczówce zamienionej na muzeum K. I. Gałczyńskiego.

Gęsi zatem nie ma, ale został kałamarz z używanym przez poetę zielonym atramentem, portrety i karykatury obojga małżonków, fotokopie rękopisów, liczne zdjęcia, trochę oryginalnych mebli, ulubiona lampa naftowa... Jest co oglądać! Warto też rozejrzeć się po podwórku, gdzie stoi kuchnia obrośnięta wspominanym przez poetę dzikim winem i pomalowany na zielono pomnik sławnego mieszkańca leśniczówki. Dlaczego zielony? Bo zainspirowany fraszką „O naszym gospodarstwie":

Łabędzia rodzina to
częsty widok na Mazurach

O, zielony Konstanty, o, srebrna Natalio!
Cała wasza wieczerza dzbanuszek z konwalią;
Wokół dzbanuszka skrzacik chodzi z halabardą,
Broda siwa, lecz dobrze splamiona musztardą,
Widać podjadł, a wyście przejedli i fanty —
O, Natalio zielona, o, srebrny Konstanty!

na górze
Leśniczówka Pranie
z portretem rzeźbiarskim
Konstantego Ildefonsa
Gałczyńskiego

Do Prania można dojechać z Rucianego-Nidy albo dopłynąć po jeziorze Nidzkim. Po obejrzeniu muzeum warto pobłądzić uroczymi ścieżkami dydaktycznymi, po których spacerował niegdyś także mistrz Konstanty.

Zamek krzyżacki w Kętrzynie

poniżej
Pałac Lehndorffów

KOMU PAŁAC LEHNDORFFÓW?

Powiedzenie „Wart Pac pałaca, a pałac Paca" odnosiło się do hrabiego Ludwika Paca, który w pierwszej ćwierci XIX wieku wybudował sobie dwa wspaniałe pałace – w Dowspudzie na Suwalszczyźnie i w Warszawie przy ulicy Miodowej. Chciałabym, aby na Mazurach wart pałaca był – i to za darmo – każdy, kto jest w stanie zobowiązać się do odbudowy popadających tu w ruinę dawnych rezydencji. Najbardziej żal mi wspaniałej niegdyś siedziby Lehndorffów, odwiedzanej także przez biskupa-poetę Ignacego Krasickiego, który nie tylko zachwycał się tu architekturą i oddawał rozkoszom podniebienia (przepadał za dobrym winem i czekoladą), ale i podziwiał przedstawienia teatralne, iluminacje i zabawy.

Podczas II wojny światowej pałac zagarnął minister spraw zagranicznych Rzeszy Joachim von Ribbentrop, który też znał się na winach – miał tu pełną ich piwnicę.

Hrabiego Heinricha Lehndorffa stracono w 1944 r. za udział w zamachu na Hitlera, a jego rodzinę zesłano do obozów koncentracyjnych. Po wojnie do 1947 r. pałac zajmowali Sowieci, gromadzący w nim łupy wojenne. Potem zadomowił się tu PGR, kontynuując dewastację.

Pałac jest ogromny (fasada ma aż 70 metrów!), nic więc dziwnego, że środki potrzebne na jego odbudowę muszą być potężne. Było ponoć paru śmiałków, którzy chcieli się tego podjąć, ale jak dotąd nikomu się nie udało.

Więcej szczęścia miał pałac w Nakomiadach z XVII wieku, rozbudowywany w następnym stuleciu, z metryką jeszcze gotycką. Zafascynował się nim informatyk z Warszawy, który nabył ruinę za niemałe pieniądze i przywrócił jej już niemal dawny sznyt.

Uruchomiono też na nowo manufakturę ceramiczną, w której wytwarza się między innymi miniatury historycznych pieców z mazurskich rezydencji. Świetna, niekonwencjonalna pamiątka.

KWATERA HITLERA

W Wilczym Szańcu w Gierłoży Führer spędził dwa i pół roku, kierując losami wojny. Miasto bunkrów, magazynów, baraków i umocnień otoczono zaminowanym pasem o długości 10 kilometrów i szerokości 50-150 metrów. Do tego podwójne zasieki z drutu kolczastego pod stałym napięciem. Choć bunkier Hitlera miał ośmiometrowej grubości ściany, a stropy o dwa metry grubsze, okazało się, że wódz nie mógł czuć się w nim bezpieczny. To właśnie tu dokonano na niego (nieudanego wprawdzie, ale jednak...) zamachu.

Zamek krzyżacki w Barcianach

na górze
Wilczy Szaniec – główna kwatera Adolfa Hitlera w Gierłoży

Wycofując się z Gierłoży, niemieccy saperzy wysadzili bunkry – nie do końca jednak, więc i to pobojowisko warte jest zwiedzenia. Pielgrzymują tu rzesze turystów niemieckich, ale spotkałam także wielu Rosjan, przeciwko którym Wilczy Szaniec został zbudowany.

Plan Twierdzy Boyen w Giżycku

poniżej
Brama wjazdowa Twierdzy
Boyen w Giżycku

NA MILITARNYM SZLAKU

Kto interesuje się militariami, może też zajrzeć do sąsiednich Mamerek, gdzie znajdowała się kwatera Naczelnego Dowództwa Wojsk Lądowych; tam bunkrów – z niewiadomych powodów – nie wysadzono. Zbudowane w bagnistym lesie koło jeziora Mamry, miały konstrukcję tak solidną, że do dziś się nie zapadły.

Z wojennych atrakcji można też zwiedzić kwaterę Himmlera (w Pozezdrzu), do której dojeżdżał własnym pociągiem „Heinrich". Niemcy, wycofując się, nie zdążyli zniszczyć znajdujących się tutaj akt, więc wysadzili je razem z bunkrami. Przetrwał jeden z nich, w dosyć kiepskim stanie.

Polecam jeszcze Twierdzę Boyen w Giżycku, skąd 7 września 1939 r. niemieckie oddziały wyruszyły na podbój Polski. Twierdza, powstała w połowie XIX wieku, jest znakomitym przykładem architektury militarnej. Zajmuje ponad kilometr kwadratowy powierzchni, a otaczające ją wały, po których można urządzić świetny spacer, mają aż cztery i pół kilometra. Zbudowana przeciwko atakom wojsk rosyjskich, była samowystarczalna. Oprócz arsenałów i schronów znajdowały się tu spichrze, piekarnie, szpital, a nawet „bomboodporne" latryny – osobne dla oficerów, podoficerów i szeregowych; łącznie – 255 budynków.

Dziś Twierdza Boyen to muzeum, po którego zwiedzeniu warto odpocząć nad Kanałem Łuczańskim, podziwiając jedyny w Polsce, obsługiwany ręcznie most obrotowy (1848).

MATKA BOŻA CHCE KAPLICY

Święta Lipka – ostoja katolicyzmu na protestanckich Mazurach. Władysław IV ofiarował tutejszej świątyni wspaniale wykonane przez mistrza Schmidta drzewo lipowe ze srebrnym wizerunkiem Matki Bożej, bo to właśnie ona miała ukazać się nieopodal na lipie około 1300 r. Kiedy jej drewnianą figurkę przeniesiono do Kętrzyna – powracała tutaj w tajemniczy sposób, aż do momentu wybudowania jej kaplicy, która z czasem przemieniła się we wspaniały barokowy kościół z przepięknym wystrojem. Wchodzi się na jego teren przez niesłychanie kunsztowną kutą bramę w charakterystycznym kolorze zielonym. Fasada zwieńczona jest wieżami ze smukłymi hełmami, a na nich znajdują się zegary – dzieło sławnego zegarmistrza z Królewca Johanna Albrechta. Trudno opisać wszystkie wspaniałości kultowego dziś maryjnego sanktuarium, do którego przybywa rocznie ponad 100 tysięcy pielgrzymów. Najlepiej pojechać na miejsce i samemu je zobaczyć. Jak zresztą i inne atrakcje Mazur na ziemi i wodzie, gdzie Tony podśpiewywał mi, gdy pływaliśmy tam żaglówką: *Na Mazurach, czy wy wiecie, Tony kochał się w Elżbiecie...*

Odrestaurowany hotel
San Bruno w Giżycku

na górze
Sanktuarium maryjne
w Świętej Lipce

następne strony
Wspaniały hall hotelu
San Bruno w Giżycku

NA
KRUTYNI

Krutynia – to wspaniałe siedlisko dzikiego ptactwa

po prawej
Pałac w Sorkwitach, zbudowany w stylu angielskiego neogotyku, mieści dziś elegancki hotel i restaurację. W Sorkwitach rozpoczynają się spływy Krutynią.

Mała rzeczka, a taka sławna. I nic w tym dziwnego, bo to najpiękniejszy kajakowy szlak nizinny w Polsce; powiadają też, że w Europie, a jak dla mnie – na świecie. Cały odcinek liczy około 100 kilometrów, ale Krutynia, kiedy wypływa z kolejnych jezior i jeziorek, przyjmuje coraz to inne nazwy. Zrazu Sobiepanka, po kilkunastu kilometrach staje się Dąbrówką, potem Grabówką, z kolei Babięcką i Spychowską Strugą, a dopiero po opuszczeniu jeziora Krutyńskiego jest już prawdziwą Krutynią, nad którą rozłożyła się wioska Krutyń.

Poznawałam ją na kajaku, eleganckim Sommerwind, Letnim Wietrze, z polietylenu – gdzież tam do niego owym prymitywnym drewniakom, którymi przemierzałam Mazury pół wieku temu! Wtedy, w szarym PRL-u, który wspominam z pewną nostalgią, bo była to moja młodość, nocowałam w skromnym namiocie i jadałam to, co mój pierwszy mąż, Andrzej Dzikowski, złowił na wędkę albo zebrał w lesie, a zatem ryby i grzyby, pieczone lub smażone na ognisku. Czyż może być zdrowiej, a przy okazji bardziej romantycznie?... No i bez kosztów. Teraz warunki pływania – choć tacy romantycy pewnie nadal się zdarzają – są, jak się to popularnie mówi, „wypasione", jest wybór – na co kogo stać, może sobie na to pozwolić. Wypożyczenie w stanicy PTTK dobrego, nowoczesnego sprzętu kosztuje od 35 do 45 zł za dzień. A że tych stanic jest na szlaku dziesięć, jest więc także gdzie co zjeść, a nawet godnie przenocować. Nic dziwnego, że spływa tą rzeczką około 100 tysięcy miłośników kajakowania rocznie. Około 15-20 proc, stanowią Niemcy; rozpoznawałam ich nie tylko po głośnym „szwargocie", ale i po tym, że pływali głównie w canoe, wśród rodaków jeszcze niezbyt popularnych, chociaż też były do wynajęcia. Krutynia – wierzcie mi – to prawdziwy raj dla wszystkich kajakarzy, niezależnie od wieku, profesji, zainteresowań, narodowości. Każdy tu znajdzie coś dla siebie. I się zachwyci.

POCZĄTEK – W SORKWITACH

Spływ rozpoczyna się na ogół w Sorkwitach. Tu w stanicy otrzymałam kajak i powiem uczciwie, że nie tylko ja wiosłowałam. Wspomagana przez przyjaciół miałam czas na robienie zdjęć.

Autorka na Krutyni

poniżej
Zamek w Lidzbarku Warmińskim
niedaleko od Krutyni

Zaczęłam od fotografowania Sorkwit, bo to piękne i ciekawe miejsce. Nad malowniczym jeziorem Lampackim rozsiadł się ogromny pałac w stylu angielskiego neogotyku, wzniesiony przez niemieckich magnatów Mirbachów w miejscu dawnego dworu polskiego majora huzarów Jana Bronikowskiego. W najodleglejszych udokumentowanych archeologicznie średniowiecznych dziejach znajdowała się tu pruska strażnica, a potem drewniana twierdza krzyżacka, bo było to miejsce ważne strategicznie. Obecny pałac ma metrykę XIX-wieczną, ale że podczas I wojny światowej spalił go stacjonujący tu rosyjski generał Aleksander Samsonow – w latach 1922-1923 odbudował go w dawnej ponoć krasie następny właściciel, Bernard von Paleske, adiutant cesarza Wilhelma II. Po kolejnej wojnie w pałacu mieścił się PGR, potem ośrodek wczasowy pracowników zakładów „Ursus", co nie przydało mu urody. Obecnie pałac ma prywatnych właścicieli, którzy urządzili w nim ekskluzywny hotel, niekoniecznie dostępny dla kieszeni przeciętnego kajakarza.

W Sorkwitach warto też odwiedzić jedyny na Warmii i Mazurach czynny kościół ewangelicko-augsburski, z XVII wieku, z pięknym wystrojem renesansowo-barokowym. Jeśli zamknięty – trzeba poprosić na plebanii, a otworzą.

KRAINA TRZCIN, PAŁEK I TATARAKÓW

Ale także przepięknych świerków, sosen i innych dorodnych drzew, bywa że zabytkowych, bowiem Krutynia płynie przez Puszczę Piską, drugi co wielkości – 100 tysięcy hektarów! – kompleks leśny w Europie. Znajduje się w niej Mazurski Park Krajobrazowy i wiele rezerwatów, w tym rezerwat przyrody „Krutynia". Lasy, jeziora, a nawet torfowiska nadają tej krainie urok wyjątkowy. A do tego jest tam mnóstwo ciekawych roślin: dziesięć gatunków storczykowych, lilia złotogłów, rosiczka okrągłolistna, wielosił błękitny... Tylko pamiętajcie – zrywać ich nie wolno. Popatrzeć warto także – jak się oczywiście nadarzy okazja – na zwierzęta: łosie, jelenie, dziki, nawet rysia czasami można uświadczyć. Mnie najbardziej oczarowały ptaki, przede wszystkim te na wodzie, choć miło było zobaczyć i orła bielika, i bociany, i kormorany. Na Krutyni jest po prostu ptasi raj. Rzeczka wije się zawadiacko, odsłaniając coraz to nowe niespodzianki. A to na brzegach czatują czaple siwe, a to ścigają nas stada różnych gatunków kaczek w nadziei na poczęstunek, a to opływają nas ostrożnie, bo z przychówkiem, wielce tutaj liczne rodziny łabędzie. Woda przeczysta, widać zatem ryby, których nie łowimy wprawdzie, ale ostrzymy apetyt na te, które czekają na nas w stanicy. Na talerzu może się pojawić lin,

Muzeum w Pieckach. Można tu zobaczyć ciekawą kolekcję rzeźb ceramicznych

na górze
Stary młyn wodny nad Krutynią

Podczas spływów Krutynią można się zatrzymać w licznych stanicach wodnych PTTK. Stanica wodna w Nowym Moście

poniżej
Rocznie przepływa tą rzeczką 100 tys. miłośników kajakowania!

okoń, szczupak, sandacz, a nawet sielawa, ale namawiam Was także na najlepsze, jakie jadłam w życiu, placki kartoflane w stanicy Rosocha. Można zobaczyć, jak się trze ziemniaki – tradycyjnie, czyli na tarkach, z uśmiechem na twarzy. To pewnie dlatego smak rososzańskich placków jest taki wyśmienity. Tymczasem fotografuję, jak ryby biorą stojącym rzędem na brzegu wędkarzom.

Przemieszczamy się przez szuwary, oczerety, omijamy liczne powalone, często suche już drzewa, które przez odbicie w wodzie tworzą malownicze kręgi. Pod trzcinami, pałkami czy sitowiem zachwycają urodą grążel żółty i grzybienie nie tylko białe, ale i różowe, zwane popularnie nenufarami. Pięknie.

Najlepiej, jeżeli jest nie tylko pięknie, ale i ciepło, słonecznie, chociaż letni deszczyk też bywa przyjemny. Gorzej jest z wiatrami, które lubią hulać na jeziorach, a tych przepłynąć trzeba mnóstwo. Na małych – nie szkodzi, ale na tych największych, Białym czy Mokrym, potrafi powstać fala aż na metr wysoka, więc trzeba uważać. Na rzece, mającej od kilkudziesięciu centymetrów do raptem półtora metra głębokości i od kilku do 30 metrów szerokości nurt jest przyjazny, można zatem się skupić nie tylko na wiosłowaniu, ale i na podziwianiu tej wyjątkowej natury.

KRÓLOWA KRUTYNI

O ile Krutynię ośmieliłabym się nazwać królewną Puszczy Piskiej, to jej królową jest niewątpliwie pani Krystyna Kozioł. Kiedy podsłuchałam, że świetnie szwargocze po niemiecku, zapytałam, czy jest Niemką czy Polką.

– Mazurką – odpowiedziała bez wahania.

Krystyna Kozioł, mazurska „królowa Krutyni"

Dorodna, ponad 70-letnia kobieta przewozi turystów swoją płaskodenną łodzią na pych od stanicy PTTK w Krutyni do jeziora Krutyńskiego i z powrotem. Taką odbyłam z nią wyprawę, niezapomnianą, bowiem pani Krystyna oprócz zręczności fizycznej miała także świetną pamięć; opowiadała ekspresyjnie o dziejach regionu i śpiewała pięknie mazurskie piosenki.

– Taka ciężka praca, czy nie czas na emeryturę?...

Oczywiście, że nie czas. Gdyby chciała żyć wygodnie, zamieszkałaby u dobrze sytuowanej córki w Niemczech. Była tam nawet przez dwa lata, miała dobrą pracę, ale ckniło się jej za Mazurami. Wróciła. Tu jest u siebie. O tym, że jest ceniona nie tylko przez polskich i niemieckich turystów, świadczy odznaczenie otrzymane od władz regionu.

Syn Krystyny Kozioł też został w Krutyni i przewozi gości na pychówce. Zapewniam: taka podróż po rzece to naprawdę wielka frajda. A wieś Krutyń warto zwiedzić: jej piękne stare chałupy pochodzą z początku XIX wieku, a poczta mieści się w XIX-wiecznej stodole. Znajomość okolicy pogłębimy dzięki Muzeum Mazurskiego Parku Krajobrazowego. Poza tym Krutyń szczyci się tym, że w 1963 r. spędził w niej wakacje znakomity pisarz, noblista John Steinbeck.

STAROWIERCY W WOJNOWIE

Płyniemy dalej, czasami trzeba przenieść kajak, ale to nie problem, bo za kilka złotych mogą to zrobić za nas mazurscy chłopcy. Trasa kończy się na Bełdanach. Niedaleko jest jezioro Nidzkie, skąd można się udać do omawianej już leśniczówki Pranie Konstantego Ildefonsa Gałczyńskiego. Ale wcześniej jeszcze proponuję zawinąć kajakiem do Wojnowa. Na cyplu wita wioślarzy przystojny młodzieniec, nawołując do zakupienia świeżych drożdżówek, jeszcze ciepłych, bo przed chwilą mama wyjęła je z pieca. Stanisław Janowicz, szef warmińsko-mazurskiego PTTK, wielbiciel Krutyni mówi, że spotyka go już od kilkunastu lat, czyli od dziecka, a bułki wciąż tak samo dobre. Zjadłam więc i ja tę pyszną drożdżówkę zanim udaliśmy się do wojnowskiej przystani, aby zwiedzić świątynię i klasztor starowierców, zwanych też filiponami.

Molenna, czyli świątynia
starowierców w Wojnowie

po prawej
Fragment wnętrza świątyni
starowierców w Wojnowie

poniżej
Niesamowite stado gęsi nad
Krutynią. Hodowlanych

następne strony
100-kilometrowy odcinek Krutyni
przyjmuje coraz to inne nazwy...

Pierwsza nazwa wywodzi się od tego, że jedna trzecia wyznawców odrzuciła wprowadzoną przez cara reformę kościoła prawosławnego w Rosji i pozostała przy starej wierze. Druga – od mnicha Filipa, który w 1700 r. w proteście przeciw niewielkiej w istocie reformie opuścił klasztor wraz z 150 kolegami po habicie i wyruszył na wschód. Stworzył bardzo surową regułę, zabraniając picia alkoholu (a nawet herbaty), palenia tytoniu, używania gwoździ i guzików (bo to wynalazek diabelski). Nakazał też pościć 280 dni w roku, zabraniając nie tylko spożywania mięsa, ale także mleka, sera i jajek. Gdy już to wszystko ustalił, dobrowolnie spalił się na stosie, aby nie wpaść w ręce władz.

Prześladowana sekta zaczęła z czasem szukać schronienia poza granicami Rosji. Najpierw trafiła pod Suwałki i w okolice Puszczy Piskiej, a w 1830 r. dwaj mnisi z Wojnowa koło Witebska przywędrowali na Mazury, gdzie nad jeziorem Duś założyli nowe Wojnowo. Wkrótce powstała tu spora kolonia starowierców, zwanych też niegdyś raskolnikami, bezpopowcami, a nawet szaleńcami bożymi. Okazali się ludźmi spokojnymi i pracowitymi. Zajmowali się głównie rybołówstwem, bartnictwem i ogrodnictwem. Wybudowali *molennę*, czyli świątynię, oraz klasztor.

Nad jeziorem Duś powstał także klasztor żeński. Kiedy go odwiedziłam jakiś czas temu, żyły tu jeszcze dwie mniszki, 89-letnia wówczas Fima i 91-letnia Lena, wyspecjalizowane niegdyś w łowieniu ryb. Oczywiście pościły przepisowe 280 dni i może właśnie temu zawdzięczały długowieczność. Ostatnia z nich umarła w 2006 r. Opiekujący się nimi pan Leon Ludwikowski urządził w klasztorze hotel.

Starowierców jest dziś w Wojnowie ledwie kilka rodzin; żyją zgodnie z zamieszkałymi tu katolikami, ewangelikami i prawosławnymi. We wsi znajduje się pięknie wyposażona w ikony *molenna*, którą koniecznie trzeba zobaczyć, podobnie jak mniejszą świątynię przy dawnym klasztorze żeńskim, a także sam klasztor i cmentarz.

Życzę pięknych wspomnień ze spływu Krutynią.

ОБРАЗЪ НЕРУКОТВОРЕНЫЙ

WRZEŚNIA
TAM GDZIE BILI

Wieża ciśnień nad rzeką Wrześnicą

po prawej
Zabytkowy ratusz z 1910 r., siedziba władz miejskich Wrześni

Bili za polskość. Za przywiązanie do języka polskiego, a więc przeciwstawianie się germanizacji. Najpierw, w 1873 r., nakazano w zaborze pruskim wykładać po niemiecku wszystkie przedmioty poza religią i śpiewem kościelnym. W latach następnych konsekwentnie germanizowano szkoły, aby 4 maja 1901 r. wprowadzić język niemiecki jako wykładowy także na lekcjach religii w podstawowych klasach wyższych.

Tego było dla Polaków zbyt wiele.

STRAJK!

Strajk wybuchł we Wrześni, w Katolickiej Szkole Ludowej, która liczyła 651 uczniów, wśród których jedynie 19 było pochodzenia niemieckiego. Na lekcjach religii odmawiano odpowiedzi w języku niemieckim i zwracano bezpłatne niemieckie katechizmy. Najpierw była perswazja, potem dwugodzinny areszt, wreszcie chłosta. W dniu 20 maja 1901 r. ten, kto się nie poddał, miał dłonie spuchnięte od bicia. Płacz sprowadził przed szkołę rodziców, zgromadziło się ich około setki. Jedna z kobiet, Nepomucena Piasecka, matka piątki uczniów szkoły wtargnęła do budynku i zaczęła wyzywać inspektora Wintera, który chciał zmusić dzieci do nauczenia się niemieckich słów pieśni „Kto się w opiekę". Choć dokończono chłosty, uczniowie nie ulegli i strajk z różnym natężeniem trwał nadal. W czerwcu 26 osób postawiono w stan oskarżenia twierdząc, że ich majowy protest zakłócił jakoby spokój w mieście i zmusił urzędników niemieckich do stosowania gwałtownych czynów – a więc uznano, że to rodzice dzieci byli w rezultacie winni ich pobiciu! Kary w stosunku do czynów były surowe: grzywny i areszt. A Nepomucena Piasecka została skazana na dwa i pół roku więzienia.

Po roku większość dzieci ciągle była oporna. Rodzice płacili kary za ich nieobecność, nieposłusznym przedłużano szkołę, a powiatowy niemiecki lekarz zaświadczał, że nie przekroczono granicy w biciu. Strajk we Wrześni wygasł dopiero we wrześniu 1904 r., ale dzieci wrzesińskie brały jeszcze udział w strajkach szkolnych z lat 1906-1908, kiedy to bunt przeciw germanizacji ogarnął

aż 800 szkół. Dowiedział się o tych wydarzeniach cały kraj, a nawet świat, powstały bowiem na ich kanwie filmy i dzieła sztuki, Henryk Sienkiewicz opublikował list „O gwałtach pruskich", a Maria Konopnicka napisała wiersz „O Wrześni".

„PYRY" I „ŁAŃCUCHY"

Jechałam do Wrześni z panią Wiolettą Mazurkiewicz, dyrektorką biblioteki miejskiej, samochodem od pociągu w Koninie. Na spotkanie autorskie.

– Zatrzymajmy się na chwilę – zaproponowała, kiedy przejeżdżałyśmy przez Strzałkowo. – Pokażę pani coś ciekawego...

Ekspozycja upamiętniająca zniesienie granic zaboru

po lewej
Zabytkowa studnia w Słupcy

To „coś" wyglądało bardzo niepozornie, ot, przeciągnięty tuż przy ziemi kawałek łańcucha. Okazało się jednak, że był to pomnik historii, tędy bowiem przebiegała niegdyś granica zaborów. Kiedy zapytałam, dlaczego łańcuch jest tak nisko, przecież każdy łatwo mógł go przeskoczyć, pani Wioletta wyjaśniła, że była to przeszkoda nie tyle dla ludzi, co dla... gęsi, które ponoć przeganiano nagminnie z zaboru rosyjskiego do Prus właśnie tędy. Dzieje się przetoczyły, ale do dziś tych, którzy zamieszkują tereny między Koninem a Słupcą nazywa się „łańcuchami". Dla odróżnienia od mieszkańców Wielkopolski, uważanych powszechnie za „pyry", chociaż zwie się ich też bardziej elegancko „bażantami".

Pani Wioletta z Wrześni była „pyrą" – to nazwa oczywiście wywodząca się od ziemniaków, podstawy wielkopolskiego jadłospisu, świątecznie spożywanych z „gzikiem", czyli twarożkiem z domieszką śmietany, czosnku, soli i kto jeszcze co woli. Nie warto byłoby o tym wspominać, gdyby nie fakt, że konflikt pomiędzy „łańcuchami" i „pyrami", choć już złagodzony, trwa ponoć do dzisiaj. Co z tego, że dziewczyna z Wrześni zakochała się w przystojnym i zamożnym nawet facecie z Konina, skoro był on „łańcuchem"? Rodzina nie tolerowała takich związków. Krewna pani Wioletty jeszcze dzisiaj nie odzywa się do zięcia, bo córka to szlachetna „pyra", ale popełniła mezalians wiążąc się z „łańcuchem".

To taka socjologiczno-etnograficzna anegdotka. A w Strzałkowie – powiadano – kończyła się w czasie zaborów Europa, dotąd bowiem dochodziła kolej berlińska. Carska zaczynała się dopiero w Koninie i kto chciał podróżować dalej na wschód lub odwrotnie, musiał ten dystans pokonywać konno lub pieszo.

W SŁUPCY

Pomiędzy Koninem a Wrześnią jest Słupca i specjalnie wybrałam taką drogę, aby do niej wstąpić. Magnesem był znany mi już wcześniej drewniany kościółek św. Leonarda. Wezwanie okazało się nieprzypadkowe, bowiem nieopodal świątyni znajdowała się

Gotycki krucyfiks z 1500 r.
w kościele p.w. św. Leonarda
w Słupcy

na górze
Kościół p.w. św. Leonarda
w Słupcy z XVI w.

niegdyś szubienica, a św. Leonard, ten z Limoges – bo jest jeszcze pięciu świętych o tym imieniu i dwóch błogosławionych – to patron jeńców, więźniów i skazanych, ale także parobków, stajennych, strażaków, górników, a że oprócz tego czuwał nad dobrym porodem, był w średniowieczu bardzo popularny.

Wierzcie mi – ten maleńki kościółek na skraju miasta to prawdziwy klejnot. Wybudowano go na miejscu wcześniejszej świątyni w XVI wieku, później przybyły mu kaplice i dzwonnica. Wewnątrz – czas się pomieszał. Najpierw olśniewają XVII i XVIII-wieczne polichromie, pokrywające całe wnętrze, łącznie z sufitem, przedstawiające sceny związane z życiem Marii i Apostołów, Rzeź Niewiniątek, fragmenty Sądu Ostatecznego i oczywiście legendę św. Leonarda. Kiedy już nasycimy łakome oczy tymi obrazami i oderwiemy wzrok od gustownie splecionej wici roślinnej, zaczynają się nam ujawniać inne skarby kościoła. Oczywiście ołtarz główny, który jest późnorenesansowy, z płaskorzeźbą Matki Bożej w towarzystwie świętych Leonarda i Jana Chrzciciela. Nie pomińcie jednak ołtarzy w kaplicach – są podobnej metryki, ale zachowały się w nich dzieła gotyku. W lewym – piękny wizerunek patrona kościoła namalowany około 1460 r., a więc zanim obecną świątynię zbudowano. Nieco późniejszy, bo datowany na rok około 1500 jest wspaniały, darzący ponoć szczodrymi łaskami krucyfiks w prawej kaplicy. Gotycka jest też chrzcielnica.

Gotyk, renesans, nieco baroku, a wszystko razem kunsztownie wymieszane i scalone sprawia, że wnętrze kościółka ma niesamowity klimat. To się po prostu głęboko przeżywa, niezależnie od tego, czy się jest wierzącym czy nie i do jakiej religii się przynależy.

Jednakowoż będąc w Słupcy nie mogłam ominąć fary p.w. św. Wawrzyńca, bo to przecież patron nie tylko ubogich, piekarzy i kucharzy, ale także bibliotekarzy, a ja właśnie jechałam do biblioteki. Rodowód świątyni nobliwy, bo z połowy XV wieku, miała już na tym miejscu poprzedniczkę, ale obecny kształt gotycki to rezultat przebudowy w latach 1949-1958. I dobrze się stało, bo bryła dzięki temu zyskała na stylowej urodzie; we wnętrzu – zacznę od ciekawostki – znaleziono w 1998 r. najstarszy mechanizm zegarowy w Polsce! Zachowało się też w farze kilka innych dzieł świadczących o gotyckim rodowodzie, czyli krucyfiks na belce tęczowej, figura Matki Bożej Bolesnej, chrzcielnica.

Św. Wawrzyniec jest chyba ważniejszy dla Słupcy niż św. Leonard, bo to on właśnie został patronem miasta. Trzeba więc i jego siedzibę odwiedzić.

Kropielnica kamienna z 1521 r. w kościele p.w. św. Leonarda w Słupcy

MIASTO W PIGUŁCE

Września znana jest w ostatnim dwudziestopięcioleciu bardziej jako miasto prawyborów niż strajków dziecięcych. Od 1993 r. odbyły się tam kilkakrotnie – parlamentarne, prezydenckie, europejskie. Uznano ją widać za „miasto w pigułce", z cechami, które pozwolą przeprowadzić sondaże i przygotować odpowiednio kampanię wyborczą. Przejrzałam wyniki i okazało się, że frekwencja wynosiła najwyżej kilkanaście procent, co na szczęście nie potwierdziło się w wyborach ogólnokrajowych, chociaż głosujących też nie było zbyt wielu. Skoro więc mieszkańcy nie interesują się jakoś szczególnie polityką, jak się sprawdzają na niwie kultury? Okazało się, że świetnie. Biblioteka miejska jest w doskonałej kondycji, może nie tyle finansowej, ale czytelniczej na pewno. We Wrześni czyta się książki!

Nic pewnie w tym dziwnego, jeśli się zważy historyczne losy wrzesińskiej społeczności. Dużo się tu działo.

Już kilka tysięcy lat p.n.e. była to okolica zasiedlona i w średniowieczu też ważna, skoro za czasów Bolesława Chrobrego pobliski gród Giecz, w którym zachował się mój ulubiony kościółek romański, liczył według Galla Anonima aż 2300 wojów! Wrześnię wspomina się dopiero od XIII wieku; rozwijała się szybko, leżąc na skrzyżowaniu dróg handlowych i w połowie następnego stulecia została już prawowitym miastem. Z tego okresu zachował się układ urbanistyczny nieco z czasem modyfikowany. Później losy grodu różnie się przeplatały. Ponad sto lat należał do Prus, ale nie dał

Pomnik Marii Konopnickiej
w parku im. Dzieci Wrzesińskich

poniżej
Pomnik Dzieci Wrzesińskich

się zgermanizować. Mieszkańcy Wrześni brali czynny udział w powstaniu wielkopolskim, a już w wolnej ojczyźnie – Legia Ochotnicza Wrzesińska walczyła w wojnie polsko-bolszewickiej. Niemcy zbombardowali miasto na samym początku września 1939 r. i włączyli do Kraju Warty. W 1945 r. stało się znów polskie.

Tyle pokrótce historii, która choć często tragiczna, zostawiła sporo materialnych śladów. Jako że zawsze tropię architekturę drewnianą, bo wydaje mi się w Polsce najbardziej oryginalna, pojechałam najpierw z panią Wiolettą na Lipówkę, do kościółka p.w. św. Krzyża, który swoją lokację zawdzięcza pobliskiemu źródełku uznanemu za cudowne. W porównaniu ze świątynią św. Leonarda w Słupcy okazała się ta XVII-wieczna budowla skromną, jednak o wielkim uroku. Ściany pokrywa XIX-wieczna niezła polichromia, w ołtarzu głównym znajduje się wartościowy obraz Ukrzyżowanego, boczne ołtarze poświęcone są świętej Rozalii chroniącej ponoć przed epidemiami i chorobami zakaźnymi oraz św. Rochowi, który również pomagał pokonać zarazę, patronując także lekarzom, aptekarzom, więźniom i nawet brukarzom, bo każdy zawód miał niegdyś swojego świętego opiekuna.

Obraz św. Rozalii z XVII wieku zobaczyłam także w farze – widać pustelnica z Palermo cieszyła się w mieście szczególnym uznaniem. To właśnie fara, czyli kościół parafialny p.w. Wniebowzięcia NMP i św. Stanisława Biskupa Męczennika jest najcenniejszym zabytkiem Wrześni. Przeszłość ma nobliwą, bo to świątynia gotycka z XV wieku, a choć ulegała dopustom i przebudowom, to jej styl na zewnątrz pozostał oczywisty. W środku nieco się pomieszało, najwięcej tu wieku XVII, z którego pochodzi (1640) piękny, późnorenesansowy ołtarz główny, a w nim obraz Wniebowzięcia NMP, nad nim zaś tej samej pewnie ręki Koronacja NMP. Współczesne im są cztery portrety trumienne, wśród nich Aleksandra i Adriana Ponińskich, właścicieli miasta. Trzeba po tym kościele przemieszczać się powoli i kontemplować urodę jego smakowitych detali. W XIX wieku dodano w prezbiterium malowidła obrazujące historię Polski – fakt znamienny, bo Września była wtedy pruska. Tu szczególnie pielęgnowano patriotyzm, o czym przypomina też powojenny już witraż autorstwa Mariana Turwida dedykowany Dzieciom Wrzesińskim. O tym epizodzie – nie, to był akt historyczny – we Wrześni się pamięta. Imię bohaterskich dzieci noszą szkoła i ulica, a także Muzeum Regionalne. Warto tam wstąpić.

Zabytkowy budynek Liceum Ogólnokształcącego im. Henryka Sienkiewicza we Wrześni

na górze
Rynek we Wrześni

następne strony
Wnętrze kościoła p.w. św. Leonarda w Słupcy

TROPEM LEGEND I HISTORII
NA SZLAKU PIASTOWSKIM

Widok z Mysiej Wieży
na jezioro Gopło

po prawej
Mysia Wieża nad
jeziorem Gopło

Znajdują się w tej okolicy Wenecja, Rzym, Paryż, Szkocja, a nawet Ameryczka, tak bowiem ciekawi świata mieszkańcy Wielkopolski nazwali swoje miejscowości. Ale najważniejsze są te o historycznym (związanym z początkami Polski) rodowodzie. Zapraszam na Szlak Piastowski.

Zacznijmy od czasów przedlegendarnych, bo i wcześniej coś się przecież na naszych ziemiach działo. Gdybyście chcieli zobaczyć megalityczne grobowce z okresu kultury pucharów lejkowatych, czyli z IV-III tysiąclecia p.n.e. (zapewniam, że grobowce te mogłyby się stać sensacją europejską, gdyby ktoś o nie zadbał) – to trzeba szukać, choć to niełatwe, Wietrzychowic i Sarnowa na Kujawach.

BISKUPIN DREWNEM STOI

Znacznie późniejszą metrykę ma Biskupin, obronne grodzisko kultury łużyckiej, posadowione w VIII wieku p.n.e. na wyspie i połączone z lądem stałym drewnianym pomostem. Drewno było najważniejszym budulcem Biskupina, powstały z niego nie tylko kryte trzciną chaty, ale również wyłożone balami ulice. Istniała nawet w Biskupinie licząca 417 metrów wewnętrzna obwodnica, na jaką do tej pory nie stać wielu miast. Na zewnątrz osada była otoczona wysokim na sześć metrów wałem skrzyniowym wypełnionym ziemią i kamieniami, a także falochronem z 25 tysięcy bali wbitych w dno jeziora – tak jak w dno weneckiej laguny. Do 1933 r. nie wiedzieliśmy nic o Biskupinie, zalegał bowiem w pokładach torfu, dopóki nie dostrzegł w nim dziwnych reliktów miejscowy nauczyciel Walenty Szwajcer.

Wszystko, co możecie zobaczyć tam dzisiaj, zostało pieczołowicie zrekonstruowane, tak aby dać nam pojęcie, jak żyli nasi odlegli, przedpiastowscy przodkowie. Uczeni przypuszczają, że Biskupin miał około 1200 stałych mieszkańców, zajmujących się rolnictwem, rybołówstwem, hodowlą i handlem, bo przecież niedaleko przebiegał szlak bursztynowy i solny. Tu właśnie, w Biskupinie, Jerzy Hoffman kręcił sceny do „Starej baśni", budując dla potrzeb filmu dwór Popiela.

W Muzeum Diecezjalnym w Gnieźnie zgromadzono wspaniałą kolekcję sztuki gotyckiej i barokowej

poniżej
Kolegiata p.w. św. św. Piotra i Pawła w Kruszwicy

NA MYSIEJ WIEŻY

Popiel jednak – jak już wiadomo dzięki legendzie – to przecież Kruszwica. Tu go myszy zjadły, chytry był bowiem i okrutny. Kiedy jego zamożny dwór nawiedzili dwaj piękni młodzieńcy i poprosili o gościnę – odmówił, nie przypuszczając, że to aniołowie. Tymczasem Piast Kołodziej nie pytał, kto zacz, lecz na postrzyżyny syna Siemowita zaprosił. Aniołowie nie tylko rozmnożyli mu strawę i napitek, ale też przepowiedzieli zaszczyty i sławę dla pierworodnego. A co z Popielem? Ów podły bogacz, podjudzany przez niecną małżonkę, otruł stryjów, którzy mogli być konkurentami do władzy. To właśnie z ich ciał wylęgły się myszy i – choć Popiel z rodziną ukrył się na wieży zwanej dzisiaj Mysią – dopadły go tam i zagryzły na śmierć.

Pouczająca to wielce legenda, historia jednak zaświadcza, że nieistniejący już w Kruszwicy zamek i górującą do dziś nad jeziorem Gopło wieżę wybudował w XIV wieku Kazimierz Wielki, a więc w czasach Popiela być jej tu nie mogło. Niemniej polecam, by się na nią wdrapać, widok na jezioro jest stąd naprawdę godny.

A jeszcze bardziej warto zobaczyć w Kruszwicy XII-wieczną romańską kolegiatę, jedną z najzacniejszych w kraju. Jej siermiężną, ale wysmakowaną zarazem bryłę z granitu i piaskowca zdobią trzy piękne portale, a prezbiterium zamyka aż pięć absyd. W surowym wnętrzu zachowały się chrzcielnice z XI i XII wieku oraz XV-wieczne rzeźby gotyckie.

O CZERWONYM JAK KREW ZACHODZIE

Idąc dalej tropem legendy, należałoby się udać do pierwszej stolicy Piastów, Gniezna, gdzie „dawno, dawno temu" przybył z braćmi Czechem i Rusem nasz protoplasta Lech, który tu właśnie, o czerwonym jak krew zachodzie słońca, ujrzał na dębie dorodnego białego orła, co dało początek barwom naszej flagi i oczywiście herbowi. (Przy okazji chciałabym przypomnieć, że także Aztecy osiedlili się w Meksyku tam, gdzie zobaczyli orła, ale ten siedział nie na dębie, ale, jak na Meksyk przystało, na kaktusie i zajadał – wedle legendy – węża). Nasi bracia postanowili założyć swoją rodową kolebkę na wskazanym przez orła miejscu, które zrazu nazwali Gniezdnem. I tyle legendy.

Historia powiada, że na tym z siedmiu gnieźnieńskich wzgórz, które nosi imię Lecha, wznosiło się początkowo pogańskie sanktuarium, w którym – według Długosza – czczono boga Nyję. Na tym właśnie miejscu ufundowano później, ponoć jeszcze przed oficjalnym przyjęciem przez Polskę chrześcijaństwa, świątynię. Jednak pewne jest jedynie to, że kościół stanął tu dzięki Mieszkowi I, wkrótce po 966 roku.

Kościół p.w. Wniebowzięcia NMP i św. Michała Archanioła w Trzemesznie

Sarkofag św. Wojciecha w katedrze gnieźnieńskiej, dzieło gdańskiego złotnika Piotra van der Rennena (1662)

po prawej
Sławne Drzwi Gnieźnieńskie zostały odlane z brązu ok. 1175 r.

U ŚW. WOJCIECHA

To były początki sławnej gnieźnieńskiej katedry. Tu właśnie, najpierw w grobie za prezbiterium, potem w srebrnym, wspaniałym relikwiarzu w kształcie trumny, wykonanym przez gdańskiego złotnika Piotra van der Rennena w 1662 r., miały spoczywać zwłoki św. Wojciecha. Miały, albowiem nie jest zupełnie pewna ich autentyczność, gdyż w 1039 r. najechał Gniezno król czeski Brzetysław i zawłaszczył relikwie. Ponoć wróciły one już w 1099 r., ale Czesi upierają się, że to oni posiadają w Pradze prawdziwe szczątki świętego, który – choć patronuje Polsce – był jednakże Czechem. Na pewno znajdowały się na miejscu, kiedy w 1000 r. pielgrzymował do Gniezna młody cesarz Otton III w towarzystwie naszego najświetniejszego Piasta – Bolesława Chrobrego.

Polecam więc Gniezno, a w katedrze zwłaszcza najsławniejsze w Polsce drzwi – Drzwi Gnieźnieńskie. Odlane w brązie około 1175 r., przedstawiają na swoich 18 kwaterach życie i męczeńską śmierć świętego biskupa. Warto także zatrzymać się przed płytą nagrobną prymasa Zbigniewa Oleśnickiego, jest to bowiem dzieło samego mistrza Wita Stwosza. I – koniecznie! – trzeba wstąpić do znajdującego się naprzeciw katedry Muzeum Diecezjalnego, gdzie oprócz innych znamienitych eksponatów sztuki znajduje się rzeź-

Nagrobek biskupa Zbigniewa Oleśnickiego dłuta Wita Stwosza w katedrze gnieźnieńskiej

poniżej
Dwór Popiela wybudowany w Biskupinie na potrzeby filmu „Stara Baśń" Jerzego Hoffmana.

biony w agacie kubek, który królowa Teofano, matka Ottona III, ofiarowała św. Wojciechowi. I jakież portrety trumienne!

Samo Gniezno – ciekawe i przyjazne, z odrestaurowanym ładnie ratuszem, pięknymi kościołami św. Jana Chrzciciela i oo. franciszkanów. Opisywałabym je dłużej, zasługuje na to, ale przecież przed nami jeszcze spory kawałek Szlaku Piastowskiego.

OGIEŃ W OPACTWIE

Z Gniezna najbliżej jest do Ostrowa Lednickiego, gdzie prawdopodobnie Mieszko I przyjął chrzest i tu mieszkał. Tutaj też przyszedł na świat Bolesław Chrobry, który później wyruszył stąd na wspomnianą pieszą pielgrzymkę z Ottonem III do grobu św. Wojciecha w Gnieźnie.

Czeski Brzetysław zniszczył w Ostrowie co się dało, toteż zachowały się jedynie ruiny pałacu i przedromańskiej kaplicy; wystarczy – razem z chrzcielnicami – aby Ostrów Lednicki stanowił dziś Muzeum Pierwszych Piastów, które niewątpliwie warto zwiedzić.

Teraz zajrzyjmy do Trzemeszna, bo się ze św. Wojciechem wiąże. Zwłoki świętego miały spoczywać w krypcie miejscowego kościoła (fundowanego oczywiście przez Piastów), przez dwa lata czekając na kanonizację i przygotowanie odpowiedniego miejsca pochówku w Gnieźnie. Właściwie całe opactwo benedyktyńskie (nie tylko kościół) ma wczesnoromańską proweniencję, ale było przebudowywane w stylu barokowym. Niestety, i w tej postaci się nie zachowało, ponieważ w czasie okupacji Niemcy urządzili tu magazyn futer dla żołnierzy na froncie, a gdy już futra nie były im potrzebne – podłożyli ogień i nie pozwolili go ugasić.

Tak więc obecna świątynia jest rekonstrukcją, ale powojciechowa krypta pozostała w oryginale. Mnie udostępnił ją ogromnie uczynny ks. prałat Bronisław Michalski, który pokazał mi także przechowywane dla bezpieczeństwa pod poduszką, w przepięknym relikwiarzu w kształcie ręki, autentyczne fragmenty szczątków świętego Wojciecha.

DO WENECJI NA KOLEJKĘ

Pobenedyktyński zespół w Mogilnie też fundował Piast, Bolesław Śmiały, który sprowadził tu zakonników z podkrakowskiego Tyńca. To nic, że świątynia była przebudowywana, najważniejsze, że zachowały się pod nią dwie oryginalne krypty romańskie, zabytki tej klasy co te, które możemy zobaczyć jedynie na Wawelu i w Fuldzie. W wirydarzu klasztoru zachowała się najstarsza w Polsce, XI-wieczna studnia.

Szlak Piastowski przebiega pętlą w kształcie ósemki (także znak nieskończoności) przez wiele miejscowości – od Pobiedzisk, którym Kazimierz Odnowiciel nadał nazwę na pamiątkę odniesionego pod nimi zwycięstwa, przez Poznań, który też pretenduje do bycia pierwszą stolicą Polski, przez Lubostroń, Żnin, Inowrocław, a także przez Wenecję, gdzie znajduje się ciekawe muzeum kolejki wąskotorowej, którą nawet dzisiaj można odbyć podróż (ale do pobliskiego Rzymu tory nie dochodzą) i Rogowo z atrakcyjnym zwłaszcza dla dzieci Parkiem Dinozaurów.

Autorka w Rzymie

na górze
Obok kościoła św. Trójcy w Strzelnie znajduje się romańska rotunda p.w. św. Prokopa

ROMAŃSKIE ARCYDZIEŁA

Ale... chciałabym jeszcze zaprosić Czytelników do Strzelna, bo to moim zdaniem najciekawsze miejsce na Szlaku Piastowskim. Tam właśnie, przed kościołem św. Trójcy, znajduje się ogromny głaz. Miał o niego zahaczyć wóz wiozący zwłoki św. Wojciecha, który – musiał to być cud! – uczynił w granicie znaczną wyrwę. Ale nie kamień jest tu ważny.

Oto w tym przekształconym w barokowy romańskim kościele odkryto w 1946 r. romańskie kolumny, jedne z najpiękniejszych na świecie. Jedna jest żłobkowana, druga gładka, a na dwóch pozostałych przedstawiono w wypukłym reliefie personifikacje cnót i występków – 18 postaci kobiet, mężczyzn i duchownych na każdej kolumnie. To w nawie głównej, a w kaplicy św. Barbary kolumna pokryta wspaniałym ornamentem roślinnym podtrzymuje gotyckie sklepienie palmowe; kiedy tam byłam, najpóźniej odnalezione jej siostrzyce wyłaniały się dopiero z murów.

Romańskie kolumny w Strzelnie odkryto dopiero w 1946 r.

po lewej
Na dwóch kolumnach przedstawiono personifikacje cnót i występków

na górze
Romański tympanon z kościoła św. Trójcy w Strzelnie

To jednak nie wszystko, obok znajduje się bowiem jeszcze jedna perła – rotunda św. Prokopa. Budowla kamienna, z ceglaną, gotycką już wieżą, ujmuje czystością i prostotą formy. Nie uszanował jej Napoleon, urządzając we wnętrzu piastowskiego zabytku spichlerz. Przyczynili się do jego dewastacji Niemcy, paląc tu archiwa, ale rotunda przetrwała i pozostaje chlubą Szlaku Piastowskiego, na który najserdeczniej zapraszam.

SZCZECIN
MIASTO WIELU EPOK

W Szczecinie zachowało się wiele pięknych kamienic secesyjnych

po prawej
XV-wieczny Ratusz Staromiejski, obecnie siedziba Muzeum Historii Szczecina

Prawie zewsząd jest do Szczecina daleko, kto wie, czy nie najdalej pociągiem; aż strach pomyśleć, ile się tam jedzie na przykład z Przemyśla. Ale nawet gdyby przyszło odbyć taką długą drogę, a przecież są i krótsze dystanse – warto ją przedsięwziąć. Szczecin to miasto piękne i ciekawe. Miasto wielu epok.

ZACZNIJMY OD HISTORII...

Nie od szczeciny ponoć jego nazwa, a raczej od szczytu, jako że położony jest na wzgórzu, choć specjaliści od toponimii mają też inne interpretacje. Inaczej zresztą nazywano go w różnych epokach. Początki miał niewątpliwie słowiańskie – Mieszko I zajął tereny Pomorza Zachodniego jeszcze przed chrztem Polski, ale dumni szczecinianie twierdzą, nie bez racji, że ich gród był zasiedlony kilkaset lat wcześniej. Niewątpliwym magnesem był dostęp do morza – historia portu u ujścia Odry sięga VIII wieku, a w XIII stuleciu, kiedy Szczecin przystąpił do Hanzy, stał się on jednym z najważniejszych na Bałtyku. Nic dziwnego, że interesowali się nim nasi Piastowie – Bolesław Chrobry i Bolesław Krzywousty, którzy przez pewien czas panowali nad tymi ziemiami. Krzywousty miał tam za wasala Warcisława I, pierwszego z władców dynastii Gryfitów, słowiańskiej, ale ulegającej z konieczności Niemcom (w 1181 r. miasto wraz z Pomorzem Zachodnim weszło w skład Świętego Cesarstwa Rzymskiego Narodu Niemieckiego), jednak sprzyjającej też Polsce, gdy było wygodniej. Gryfita Kazimierz IV został nawet adoptowany przez Kazimierza Wielkiego i miał szansę zostać królem Polski. Bogusław X ożenił się z Anną Jagiellonką, oczywiście nie królową Polski o tym samym imieniu, a czternastoletnią córką Kazimierza IV Jagiellończyka i Elżbiety Rakuszanki, co umocniło nasz związek z Pomorzem. Ostatni z rodu Gryfitów, Bogusław XIV, zmarł bezpotomnie w 1637 r. i to był kres dynastii.

Były też w historii inne polityczne zależności Szczecina. Najdawniej okupowali miasto Duńczycy, potem Szwedzi, Rosjanie, a także Francuzi. W roku 1710 zostało przyłączone do Prus i tak już na długo zostało.

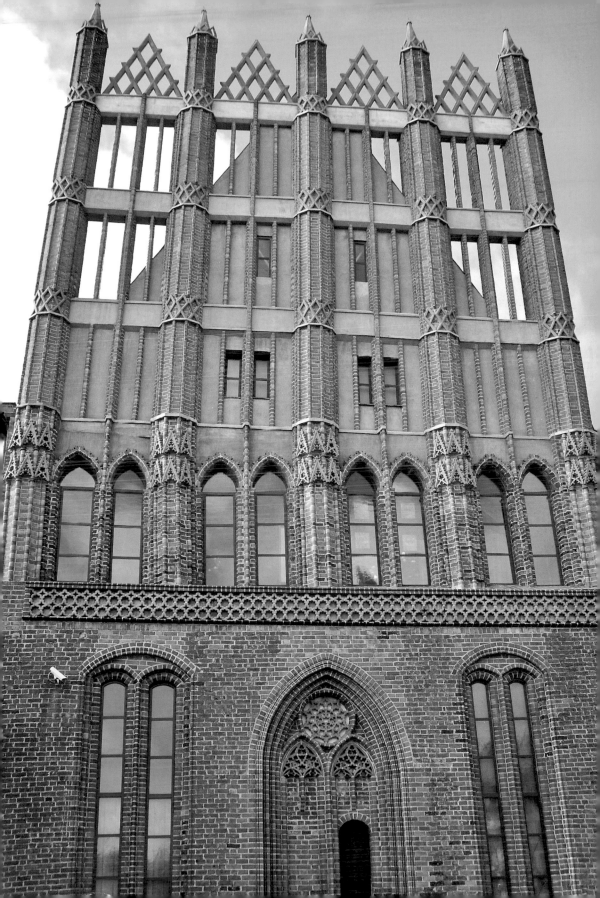

Fragment krzyża z Limoges.
Galeria Sztuki Dawnej Muzeum
Narodowego w Szczecinie

poniżej
Kościół p.w. Najświętszego Serca
Pana Jezusa (1913-1919)

W czasie ostatniej wojny trzy czwarte Szczecina było zniszczone przez naloty aliantów i taki stan odziedziczyła Polska w 1945 r. Przez wiele lat niewiele się tu działo, nikt nie chciał inwestować, no bo wiadomo, co to będzie?... Od kiedy ugruntowało się w świadomości, że jednak wiadomo, zaczęto miastu przywracać jego dawniejszą urodę.

ZAMEK KSIĄŻĄT POMORSKICH

Odbudowę Zamku Książąt Pomorskich zakończono dopiero w 1980 r. Jego protoplastą był drewniany dwór Warcisława I z pierwszej ćwierci XII wieku. Przodek gotycki narodził się w XIV wieku i był tak zwanym Kamiennym Domem. Renesansowym zamkiem zaczął się stawać w XVI stuleciu, kiedy książę Jan Fryderyk zburzył Kamienny Dom, bo potrzebna mu była bardziej okazała, modna rezydencja. I ten właśnie model renesansowy stał się podstawą odbudowy zamku w nieodległych nam latach.

Po upadku dynastii Gryfitów zaczęły się dla zamku gorsze czasy. Nie inwestowali w jego godne utrzymanie ani rezydujący w nim namiestnik szwedzki, ani garnizon pruski, a nawet założona przez Fryderyka II Wielkiego mennica, która znalazła tu siedzibę. Największy jednak uszczerbek architektoniczny i estetyczny przyniósł dawnej siedzibie książęcej wiek XIX, kiedy wprowadził się tu gar-

nizon pruski i zaczął dostosowywać budowlę do swoich potrzeb. Nic dziwnego, że popadała w ruinę, z której starano się ją podnieść bezskutecznie już w czasach przedwojennych w wieku XX. Teraz jest jak nowy, choć jego włodarze na pewno mają wiele jeszcze potrzeb. Neorenesansowy w górnych partiach, zachował na dole fragmenty gotyckie, a wśród nich odkrytą podczas odbudowy kryptę z grobami książąt pomorskich. Dziś mieści się w zamku wiele instytucji publicznych i kulturalnych, w tym prestiżowe sale wystawowe, w których i ja wraz z Izabelą Staniszewski miałam wystawę fotografii „Norweskie inspiracje".

DWIE CARYCE, CZTERECH CARÓW

Z dziejami Zamku Książąt Pomorskich związana jest postać największej władczyni XVIII wieku. Tu mieszkała bowiem przez pewien czas córka gubernatora Szczecina, księcia Christiana Augusta von Anhalt-Zerbst, trojga imion: Zofia Fryderyka Augusta, która przybrała czwarte jeszcze miano: Katarzyna, a historia dodała później: Wielka.

Przyszłą władczynię Rosji upatrzyła sobie za synową caryca Elżbieta II i zaprosiła ją, wówczas czternastolatkę, z matką do Moskwy. Już w następnym, 1745 roku Zofia nie tylko stała się Katarzyną Aleksiejewną, ale też przyjęła prawosławie i poślubiła

W Muzeum Narodowym w Szczecinie zgromadzono piękną kolekcję starej biżuterii

na górze
Pałac „Pod Globusem", siedziba Akademii Sztuki

Tablica erekcyjna z wizerunkiem księcia Filipa II i Franciszka I na Zamku Książąt Pomorskich w Szczecinie

cherlawego ponoć carewicza Piotra, którego niedostatki rekompensowała sobie w licznych związkach, w tym przez trzy lata ze Stanisławem Augustem Poniatowskim, którego później uczyniła królem Polski. Po tajemniczej śmierci Piotra sama uchwyciła władzę, a gdy jej syn Paweł dorósł do małżeństwa, postanowiła go ożenić też ze szczecinianką i też Zofią, księżniczką wirtemberską, która na moskiewskim tronie stała się Marią Fiodorowną i powiła mężowi dziesięcioro dzieci, z czego dwóch synów – Aleksander i Mikołaj – zostało carami. Zatem aż czterech władców Rosji miało związek z kobietami ze Szczecina.

PERŁA POMORZA

Obydwie caryce modliły się zapewne w młodości w uznanej dziś za „perłę Pomorza" szczecińskiej katedrze, czyli bazylice archikatedralnej p.w. św. Jakuba Apostoła. W owym czasie (od 1534 r.) była ona świątynią protestancką. Jej najpierwszy, katolicki protoplasta został wzniesiony w 1187 r., ale pełne perturbacji budowlanych dzieje gotyckie to wiek XIV, kiedy to świątynia z trzynawowej bazyliki stała się pięcionawową halą, czyli wszystkie jej sklepienia otrzymały tę samą wysokość, a wnętrze uzyskało kilkanaście bocznych kaplic. Ciekawe, że dzisiaj kaplice poświęcone są nie tylko świętym patronom, ale także ludziom pracy – portowcom, szewcom, kolejarzom, ludziom morza, studentom. W czasach szczecińskich caryc wyposażenie gotyckiej katedry było zapewnie gotyckie i barokowe, dziś – przepraszam – jest trochę „od Sasa do lasa", na skutek poważnego zniszczenia świątyni w czasie wojny. Długo zastanawiano się nad odbudową „perły Pomorza", a przyczyniło się do niej ustanowienie w 1972 r. diecezji szczecińsko-kamieńskiej. Z czasem zgromadzono w niej wiele cennych gotyckich dzieł sztuki pochodzących z regionalnych kościołów z Mieszkowic, Świnoujścia, Ciećmierza, Góry Chełmskiej, Chojna, Żukowa, a nawet Lubeki. Ich uzupełnieniem są prace artystów współczesnych. Aż dziwne, że świątynia ma spójny charakter i kontemplacyjną atmosferę. Szczyci się także wysokością odbudowanej wieży, drugiej (110,8 m) po gigantomańskim Licheniu (141,5 m). Niewątpliwie warto do niej wstąpić.

WAŁY CHROBREGO

Katedra św. Jakuba jest ważnym elementem panoramy Szczecina, którą współtworzą Zamek Książąt Pomorskich i Wały Chrobrego, najlepiej zachowana, prawie nie zniszczona wojną część miasta; bez Wałów trudno dziś sobie stolicę Pomorza Zachodniego wyobrazić.

Dawniej nosiło to miejsce nazwę Wałów Hermanna Hakena, bo to ów nadburmistrz Szczecina postanowił zburzyć XVIII-wieczne

Wały Chrobrego

fortyfikacje i w pierwszej dekadzie XX wieku doprowadził do usypania nad Odrą wysokiej na 19,3 m skarpy o długości pół kilometra. Na uformowanych według projektu Wilhelma Meyera-Schwartaua tarasach powstał nie tylko wielce atrakcyjny ciąg spacerowy z przepiękną panoramą, ozdobiony rzeźbami i fontannami, ale także okazałe budowle w stylu neorenesansu i neobaroku, w których znajdują się dzisiaj siedziby Szkoły Morskiej, Urzędu Miasta i Muzeum Narodowego. Do Muzeum trzeba wstąpić koniecznie, znajdują się w nim nie tylko zbiory archeologiczne, historyczne, sztuka dawna i współczesna, ale także ciekawa kolekcja sztuki afrykańskiej. Można tu również zobaczyć podwójny portret Sydonii von Borck jako pięknej i młodej oraz starej i paskudnej kobiety. Sydonia, obdarzona ponoć nieprzeciętną urodą córka przedniego rodu pomorskiego była przyrzeczona księciu Ernestowi Ludwikowi, który jednakże nie dotrzymał słowa. Rzuciła więc podobno klątwę na Gryfitów przepowiadając, że ród wyginie; tak się też w przyszłości stało. Uwikłana w liczne procesy, zajmująca się ziołolecznictwem i obcująca ze zwierzętami, wśród których był czarny kot, została oskarżona o czary, do których się przyznała pod wpływem tortur. Dnia 16 sierpnia 1620 r. – w akcie litości! – ścięto jej głowę za Bramą Młyńską, a dopiero potem spalono ciało. Przypomina mi to łaskawość Hiszpanów dla ostatniego władcy Inków, Atahualpy, który w nagrodę za to, że przyjął chrzest, został najpierw uduszony, a potem spalony na stosie tak jak Sydonia.

Baszta Panieńska zwana również
Basztą Siedmiu Płaszczy

po prawej
Wieża Zegarowa na Zamku
Książąt Pomorskich w Szczecinie

poniżej
Pomnik Czynu Polaków
autorstwa Gustawa Zemły

następne strony
Panorama Szczecina

BASZTA SIEDMIU PŁASZCZY I POMNIK CZYNU POLAKÓW

Symbolem Szczecina stała się Brama Panieńska, zwana także Bramą Siedmiu Płaszczy. Kto wie, dlaczego taka nazwa... Historycy łączą ją z cechem krawców, którzy – być może – łożyli na utrzymanie baszty; legenda powiada natomiast, że gdy książę Bogusław X wybierał się do Ziemi Świętej, zamówił u krawca siedem płaszczy z kosztownego sukna, z którego tenże uszczknął skrawki na szatę dla żony. Kiedy sprawa się wydała, zamknięto krawca w naszej baszcie, gdzie siedząc o chlebie i wodzie przez pół roku, kiedy żonę pocieszał młody szewc, szył bez zapłaty suknie dla książęcego dworu.

Dzieje Baszty Siedmiu Płaszczy, która istotnie długo służyła za więzienie, były burzliwe nie tylko w czasach ostatniej wojny, kiedy to posadowiona na niej kamienica została zniszczona i basztę odbudowano w dawnym, gotyckim kształcie.

Szczecin ma jednak inny jeszcze symbol, a jest nim odsłonięty w 1979 r. Pomnik Czynu Polaków autorstwa prof. Gustawa Zemły. Zanim stanął na głównej osi Parku Kasprowicza, odbył długą drogę. Na wysokim, stalowym postumencie wznoszą się trzy olbrzymie orły z brązu, symbol trzech odbudowujących Szczecin pokoleń. Wykonano je w Warszawie, skąd popłynęły Wisłą do Gdańska, potem Bałtykiem do Świnoujścia, aby przez Zalew Szczeciński dotrzeć Odrą do miejsca przeznaczenia. Podobnie skomplikowaną drogę, tyle że dalej, do Peru, odbył pomnik inż. Ernesta Malinowskiego, też autorstwa prof. Zemły.

Pomnik Czynu Polaków to symbol ostatniego etapu dziejów szczecińskiego grodu. Coraz ciekawszego.

NA LUBUSKIEJ
ZIEMI

Winnica „Stara Winna Góra"
słynie ze znakomitego rieslingua
po prawej
Pocysterski zespół klasztorny
w Gościkowie-Paradyżu

Dopiero teraz, spotykając się z Czytelnikami, odkrywam tę ziemię. Ziemię wina, chleba i ciekawych, bardzo różnorodnych zabytków. Także ludzi z pasją, dzięki którym dużo dobrego się tu dzieje.

ZACZNIJMY OD BOGDAŃCA

Czyli od ludzi. Od pani Krystyny Pławskiej, wójta tej gminy, która rządzi tu już trzecią kadencję wspomagana głównie przez kobiety, ale mężczyźni też ją chwalą i nie chcą się pozbyć. Ja chwalę panią wójt szczególnie, bo spotkanie ze mną zorganizowała perfekcyjnie, a potem ugościła nie tylko przysmakami regionalnymi, ale też muzyką, a potem obdarowała pysznym, jak wieść głosi, przepięknie dekorowanym chlebem, którego nie śmiałam napocząć i wciąż – jako dzieło sztuki – stanowi ozdobę mojego stołu. W Bogdańcu odbywa się co roku w sierpniu Święto Chleba, a przy okazji kiermasz sztuki ludowej i regionalne występy artystyczne.

Nie wiem, jakie są wyuczone kwalifikacje pani wójt, ale wydaje mi się, że zarządzanie to nie tylko jej umiejętność, ale także pasja. Natomiast pasją państwa Doroty i Marka Krojcigów oraz ich córki Małgorzaty okazała się uprawa winorośli i produkcja wina. W 1997 r. założyli swoją winnicę „Stara Winna Góra", zresztą jedną z wielu w Lubuskiem, i dziś na sześciu hektarach uprawiają różne szczepy, szczycąc się szczególnie wspaniałym rieslingiem, którego wyjątkowy smak potwierdzam. Turyści mile widziani, też mogą degustować białe i czerwone winne ambrozje jako nieodzowny dodatek do przysmaków miejscowej kuchni, a nawet nabyć je „na wynos".

W okolicy – atrakcji bez liku. Dla panów przede wszystkim Międzyrzecki Rejon Umocniony; dla mnie był zaskoczeniem, chociaż jestem z Międzyrzeca także, ale nie lubuskiego, tylko Podlaskiego. W Lubuskiem – to jest Międzyrzecz, a znajdują się w jego okolicy jedne z największych ponoć podziemnych fortyfikacji świata, na szczęście prawie nieużywane. Hitler kazał je budować w 1934 r., ale cztery lata później powstrzymał inwestycje, które miały bronić wschodniej granicy Niemiec, decydując się w obliczu wojny na zwiększenie produkcji broni naziemnej służącej do ataku. Ale i tak powstało około 200 czy też 300 schronów lekkich,

Atrakcją, zwłaszcza dla
mężczyzn, jest Międzyrzecki
Rejon Umocniony

po prawej
Fasada pocysterskiego kościoła
pw. Wniebowzięcia NMP
i św. Marcina

około 100 ciężkich, kaponiery, stanowiska armatnie oraz 35 kilometrów podziemnych korytarzy łączących rozmaite militarne miejsca, także przy pomocy kolejki wąskotorowej. Można je zwiedzać dwoma szlakami turystycznymi: z Pniewa lub z Boryszyna. Dłuższy ma 3,5 kilometra, drugi jest krótszy o połowę. Zwiedza się tylko latem, bo zimą tunele stają się siedzibą 30 tysięcy nietoperzy – przedstawicieli dwunastu gatunków, nie tylko krajowych, ale i zagranicznych. Odbywa się wtedy wielkie ich liczenie.

JEDZIEMY DO RAJU

Wieś nazywała się niegdyś *Paradisus Matris Dei*, Raj Matki Bożej, który stał się z czasem Paradyżem; dzisiaj powrócono do pierwotnego miana Gościkowo, zaś nazwa Paradyż została zarezerwowana dla sakralnej części wsi. W 1230 r. bezdzietny wojewoda poznański Mikołaj Bronisz podarował ją, wraz z całym dobytkiem – razem dziewięć wiosek – cystersom sprowadzonym z Brandenburgii. Jako że zakon ten był wyjątkowo gospodarny, jego hasło to przecież *ora et labora*, „módl się i pracuj", cysterski majątek szybko zaczął się pomnażać; z czasem miał już 21 wsi i kilka tysięcy hektarów lasu. Sprzyjało to ufundowaniu zrazu zapewne drewnianej, ale wkrótce już – w końcu XIII wieku – murowanej świątyni i klasztoru. Dawnych, gotyckich śladów zachowało się niewiele, pierwotne budynki ulegały pożarom i zniszczeniom, ale ponieważ zakon był zasobny, chciał mieć swoją siedzibę większą i modniejszą, zgodną z duchem czasu. W XVIII stuleciu Paradyż obchodził 500-lecie fundacji i wte-

W barokowej, przeszklonej szafce przechowywane są relikwie świętych męczenników

poniżej
Kościół był zrazu gotycki ale w XVIII w. zmieniono jego architekturę i wystrój na barokowe

dy postanowił być barokowy. Przebudowę – wówczas już artyści nie byli anonimowi – powierzono śląskiemu architektowi Karolowi Marcinowi Frantzowi, który uszanował to, co pozostało z gotyku: krzyżowo-żebrowe sklepienia, część murów, fragmenty polichromii. Autorem obrazów przedstawiających Wniebowzięcie NMP oraz św. Marcina w niezwykle bogatym ołtarzu głównym był śląski artysta Feliks Antoni Scheffler. Wcześniejszą metrykę ma obraz Matki Bożej z Dzieciątkiem zwanej Matką Bożą Paradyską namalowany w 1650 r. w Bolonii na zamówienie opata Zygmunta Czyżowskiego. Początkowo opatami byli cystersi niemieccy, ale w 1538 r. Zygmunt Stary nakazał, żeby tę funkcję pełnili wyłącznie Polacy.

Także klasztor nabrał barokowych form, chociaż w małym wirydarzu przetrwały gotyckie sklepienia i fragmenty polichromii.

Zabudowania sakralne wywarły na mnie wielkie wrażenie. Ich imponujący ogrom i bogactwo nie przystają, zda się, do skromnej, liczącej niespełna 400 mieszkańców wioski. Choć gospodarzami Paradyża nie są teraz cystersi, ale salezjanie – także i oni podtrzymują gospodarne tradycje dawnych włodarzy. Jeden z braci zakonnych oprowadził mnie po wzorowo uprawianej, założonej w 2005 r. wzdłuż muru klasztornego winnicy. Spróbowałam: owoce były smaczne, dorodne, soczyste, spożywa się je ponoć tylko jako deser albo w przetworach, nie przeznaczając na wino.

Klasztor paradyski jest obecnie siedzibą Wyższego Seminarium Duchownego.

KLĘPSK – KLEJNOT LUBUSKIEJ ZIEMI

Paradyż budzi podziw, ale nic mnie bardziej nie zachwyciło na lubuskiej ziemi jak niewielki kościółek w Klępsku, o którym mało kto wie, choć to najprawdziwszy klejnot sztuki renesansu, uznawany za jeden z najpiękniejszych w Środkowej Europie. Z zewnątrz – świątynia niepozorna: drewniana wieża, ryglowy korpus świadczący o ubóstwie, murowana jedynie zakrystia, w środku – niesamowite bogactwo, przede wszystkim malowidła, które zaczęły zdobić kościół w XVI wieku, aż do przełomu z XVII, zapewne pędzlami kilku artystów, bo jest ich, większych i mniejszych, aż 117, o nieco odmiennym charakterze, bardziej lub mniej dynamicznych, różnych kolorystycznie. Opowiadają historie biblijne: dla niepiśmiennych – obrazami, dla tych, co umieli czytać – także umiejętnie zakomponowanym, obfitym komentarzem słownym i cytatami ze świętych ksiąg.

Kościół p.w. Nawiedzenia NMP powstał jako katolicki, ale po reformacji przejęli go protestanci i to oni wyposażyli go tak bogato, także w charakterystyczne dla ich architektury suto malowane empory (wewnętrzne galerie), zapewniające dodatkowe miejsca dla wiernych. Najhojniej ozdobiono łoże kolatorskie, w których zasiadali panowie najmożniejsi, być może fundatorzy. Najcenniejszym zabytkiem jest jednak tryptyk w ołtarzu głównym, datowany na

Ta miła kobieta otworzyła mi kościół i pozwoliła na zrobienie zdjęć. Dziękuję.

na górze
Kościół p.w. Nawiedzenia NMP w Klępsku, obecnie katolicki, był dawniej świątynią ewangelicką.

Pięknie malowany chór organowy
i fragmenty jego dekoracji

po prawej
Prezbiterium kościoła w Klępsku
z gotyckim tryptykiem (1400),
dziełem śląskiego rzeźbiarza

poniżej
W klępskim kościele znajduje
się 117 przepięknych malowideł
ściennych

około 1400 rok i przypisywany śląskiemu warsztatowi. Całość wyposażenia tworzy wnętrze spójne, o wyjątkowym, intymnym klimacie, a zajmuje się nim z oddaniem miła starsza pani, która oglądała niegdyś programy „Pieprz i wanilia", dzięki czemu mogłam klępskie arcydzieła nie tylko podziwiać, ale i sfotografować. Dziękuję.

DO AUSTRALII

Z kościołem w Klępsku wiążą się dzieje tamtejszej emigracji. Oto król Fryderyk Wilhelm III utworzył w 1817 r. tak zwaną Unię Pruską, która wprowadzała do luteranizmu nowe regulacje. Jeśli pastor nie chciał się im podporządkować – płacił wysokie kary, a nawet był pozbawiany prawa sprawowania posługi pasterskiej. Dotyczyło to także naszej wsi zwanej wówczas Klemzig, której niepokorny duszpasterz, August Kavel, w trosce o trwanie przy ortodoksyjnej doktrynie Lutra wyprowadził wiernych aż za morze. Do Australii. Pierwsza grupa licząca 200 osób z Klępska i okolicznych wiosek dotarła statkiem żaglowym w okolice Adelajdy dopiero po kilku miesiącach, jako że nie było jeszcze wówczas Kanału Sueskiego i trzeba było opływać Afrykę. Założyli osiedle Klemzig, które stało się z czasem dzielnicą Adelajdy. Żałuję, że nie znałam wcześniej tej historii – wtedy podczas pobytu w Adelajdzie mogłabym poznać potomków dawnych mieszkańców Klępska i ich niewątpliwie ciekawe dzieje.

O SYCOWIE
KTÓŻ WAM POWIE?

Wnętrze ewangelickiego kościoła
p.w. św. św. Jana i Piotra

po prawej
Kościół ewangelicki p.w.
św. św. Jana i Piotra (1789)

Ja też o tym niewielkim mieście w powiecie oleśnickim, w województwie śląskim, nie wiedziałam do niedawna nic. Ale zostałam tam zaproszona na spotkanie podróżniczo-autorskie z młodzieżą gimnazjalną, a okazało się, że także z mieszkańcami miasta niezależnie od wieku. Zorganizowała je niezwykła osoba, nauczycielka geografii pani Ania Nowicka. Najpierw napisała do mnie e-mail z propozycją, którą niegrzecznie pominęłam milczeniem. Potem przyjechała na Targi Książki we Wrocławiu gdzie podpisywałam „Groch i kapustę" oraz „Artyści mówią". I mnie uwiodła, a jej szkoła okazała się jedyną, której patronatu użyczyło National Geographic. Zgodziłam się i już dwa dni później Ania przysłała mi bilet na samolot do Wrocławia, skąd miała mnie zabrać do Sycowa samochodem. Poleciałam, i tak pięknie zorganizowanego spotkania nigdy jeszcze nie miałam. No i poznałam Syców, do czego i Was namawiam.

KŁOPOTY Z NAZWĄ

Przechodził różne koleje losu: był polski, czeski, austriacki, pruski i znowu polski. Dawniej nie tyle granica decydowała o przynależności ziem, co związki małżeńskie, dziedziczenie, zagarnięcie siłą. Najpierw nazywało się to leżące na bursztynowym szlaku miejsce Wartenberg, Strzeżona Góra, bowiem w okolicy pełno było zbójców, a na górze wznosiła się ponoć karczma, w której można się było schronić. I oczywiście nasycić, nie tylko jadłem, ale także miodem pitnym i stąd może etymologia nazwy Syców. W pewnym okresie nosił on miano Polnische Wartenberg, bo większość mieszkańców stanowili Polacy, później stał się Gross Wartenberg, zapewne ze względów politycznych. Tak czy inaczej, panowała ponoć w mieście tolerancja etniczna i wyznaniowa, Polacy byli przeważnie katolikami, Niemcy – luteranami. Utrzymywali się z rolnictwa i rzemiosła, raz im się wiodło lepiej, raz gorzej, jako że nawiedzały miasto pożary, przetaczała się przez nie wojna trzydziestoletnia, łupili je Szwedzi, jeszcze przed potopem. Najsympatyczniej wspomina się tu dziedzictwo książąt kurlandzkich, Bironów. Ostatni z nich, Ernst Johann Biron, uczony fizyk pracujący w Instytucie Maxa Plancka, jest nawet obywatelem honorowym Sycowa.

Neobarokowa wieża kościoła p.w.
św. św. Piotra i Pawła

poniżej
Stare Miasto w Sycowie

FAWORYT CESARZOWEJ

Obecny książę Biron nosi takie samo imię jak pierwszy, który objął we władanie Syców. Skromny zrazu dworzanin na dworze kurlandzkim zawdzięczał swoją karierę Annie Iwanownie, najpierw księżnej kurlandzkiej, potem cesarzowej Rosji. Wpadł jej w oko podobnie jak później Stanisław August Poniatowski Katarzynie II i został jej wszechwładnym faworytem. Miał opinię okrutnika i chociaż po śmierci cesarzowej w 1740 r. został regentem Rosji – to tylko na trzy tygodnie, bowiem w rezultacie przewrotu pałacowego odesłano go na Syberię. Miał już wtedy Syców i przyległości, bowiem zabezpieczył się materialnie, zarządzając majątkiem z daleka za pośrednictwem szwagra, hrabiego Lewina von Trotta; księstwo kurlandzkie mu odebrano. Syców był wtedy wolnym państwem stanowym, czyli nie podlegał księciu, a bezpośrednio królowi bądź cesarzowi, posiadając wraz z innymi państwami stanowymi jeden głos w parlamencie.

BYŁ ZAMEK – JUŻ GO NIE MA

Najlepiej widać Syców z wieży. Dawniej była to gotycka brama miejska. Dziś to mająca 56 metrów wysokości wieża parafialnego kościoła, na której dzwony nie tylko wzywają na nabożeństwo, ale także wybijają godziny. Na szczęście, kiedy wspinałam się po jej stromych schodach, dzwon wybił jedynie kwadrans, czyli zadzwonił raz, bo inaczej mój słuch byłby poważnie zagrożony. Warto było trochę się pomęczyć, bowiem widok z góry jest przepiękny. U stóp miałam imponujący kościół parafialny św. św. Apostołów Piotra i Pawła, od 1905 r. neogotycki, ale wspominany już w XIII wieku, a wzniesiony w gotyckiej szacie w XV wieku Najcenniejszym jego zabytkiem jest wmurowana w zewnętrzną ścianę świątyni doskonale zachowana płyta nagrobna zmarłej w 1502 r. Elisabeth von

Kościół parafialny
św. św. Piotra i Pawła w Sycowie

Haugwitz, żony właściciela Sycowa. W głębi – biała sylwetka kościoła ewangelicko-augsburgskiego i to jest duma miasta, albowiem wzniesiony został w latach 80. XVIII wieku według planów
znakomitego architekta z Berlina Karla Gottharda Langhansa,
twórcy między innymi Bramy Brandenburskiej. Wnętrze kościoła
jest niesamowite, na planie elipsy z emporami, prawie bez dekoracji, ale za to niezwykle harmonijne architektonicznie. Oddziałuje
samą przestrzenią.

Z otaczających niegdyś miasto murów pozostały ledwie do-
strzegalne okruchy. Rynek był bez ratusza, albowiem spalili go
w 1945 r., razem z archiwum miejskim, żołnierze sowieccy. Taki
sam los spotkał imponujący zamek Bironów wybudowany w stylu
angielskiego neogotyku. Długo się palił, bo był ogromny, a i tak nie
spalił się do końca. Można go było odbudować, ale władze miasta
postanowiły go na początku lat 50. ubiegłego stulecia rozebrać,
a materiał przeznaczyć na odbudowę Warszawy. Pozostał po nim
tylko piękny park, też w stylu angielskim, krajobrazowy – podjęto
ponoć decyzję o przywróceniu mu świetności. Na szczęście zachowały się piękne rzeźby parkowe, personifikacje czterech pór roku
oraz rzek francuskich, kopie w brązie rzeźb z Wersalu wykonane
przez paryskiego artystę Vala d'Osneta.

Kościół św. Marka ma
metrykę z XIV w.

po prawej
Ołtarz główny w kościółku
św. Marka

ŚWIĘTY MAREK W ŚWIĘTYM MARKU

Drewnianego kościółka św. Marka z wieży się nie zobaczy, stoi na cmentarzu kilka kilometrów za miastem w osadzie Święty Marek zwanej "sycowską Częstochową". To miejsce pielgrzymne, na początku ubiegłego wieku zbudowano doń od Sycowa stacje drogi krzyżowej ufundowane przez mieszkańców miasta, a całkiem niedawno powstały przy czterech z nich studnie pątnicze staraniem Towarzystwa Świętego Marka, którego prezesem jest niesamowity pasjonat, pan Stanisław Kozłowski, mój przewodnik po Sycowie. Co jest zadaniem Towarzystwa? Ano, zadbanie o kondycję kościółka wielce podupadłą, a przecież tak wspaniały to zabytek!

Dzieje tej cmentarnej świątyni sięgają ponoć XIV wieku, kiedy to przez Europę przeszła "czarna śmierć", czyli dżuma. Ponieważ okazała się łaskawa dla Sycowa i okolic – postanowiono z wdzięczności wystawić kościółek, a że być może już wcześniej istniała tu kaplica św. Marka, więc i nowa świątynia miała być mu poświęcona. Legenda powiada, że zebrano potrzebne materiały, ale gdy przyszło do rozpoczęcia robót, okazało się, że zostały przeniesione kilkaset metrów dalej. Znowu je sprowadzono w upatrzone miejsce i znów cudownym sposobem trafiły na poprzednie. – Widocznie kościół ma być wystawiony tutaj – stwierdzono, i tak też się stało. Obecna świątynia powstała około 1660 r., drewniana, na planie ośmioboku, przekryta rzadkim w budownictwie sakralnym dachem mansardowym. Wewnątrz zobaczyłam ołtarz późnorenesansowy, piękny, ale okaleczony przez wandali, którzy wydarli mu co cenniejsze fragmenty, na szczęście ostał się w nim piękny obraz św. Marka z lwem. Po obu stronach – duże figury świętych Piotra i Pawła, nieopodal wspaniała, manierystyczna rzeźba Matki Bożej z Dzieciątkiem, na bocznych konsolach popiersia z tej samej zapewne epoki. Jeszcze odbywają się tu nabożeństwa, ale sycowianie nie dadzą rady zapobiec szybko postępującej degradacji, a dach już się zaczyna sypać. Życzę powodzenia Towarzystwu Świętego Marka w ratowaniu tego cennego zabytku.

Syców to niewielkie miasto, liczące około 10 tysięcy mieszkańców. Kiedy było powiatem – lepiej mu się działo, teraz jest duże bezrobocie, a w konsekwencji: emigracja. Tym bardziej doceniam, że sycowianom chce się zadbać o kulturę, w czym największa zasługa pani Ani. Rozwija zainteresowania młodych ludzi, organizuje spotkania i wystawy. Byli już w Sycowie Martyna Wojciechowska, Krzysztof Wielicki, Arkady Radosław Fiedler, spodziewani są inni podróżnicy. Niech młodzież poznaje świat, może i u siebie będzie chciała i mogła kiedyś coś zmienić na lepsze. Nie wyjedzie do Irlandii, Niemiec czy Wielkiej Brytanii, przekonana że warto pozostać na Śląsku. Także w Sycowie.

LEGNICA
ZACHWYCA

Kamienice w centrum miasta są ozdobione pięknymi *sgraffiti*

po prawej
Najpiękniejsza w Legnicy kamienica Pod Przepiórczym Gniazdem z połowy XVI w.

Byłam zaskoczona. O Legnicy wieści dochodzą zazwyczaj tylko z powodu miedzi albo znakomitego, prowokującego teatru. A tymczasem całe miasto okazało się niezwykle ciekawe, warto pojechać tam specjalnie, nasycić się jego historią, zobaczyć zabytki z różnych epok, przejść się ulicą NMP, wypić kawę w „Ratuszowej"…

MAŁA MOSKWA

Zacznijmy „od pieca", czyli od czasów bliższych współczesności. Spopularyzował je wzruszający film Waldemara Krzystka „Mała Moskwa". I tam, w Legnicy, była Moskwa. Od 10 lutego 1945 r. rządziła miastem władza radziecka. Rosjanie zajęli jedną trzecią dawnej zabudowy, w sumie 1200 obiektów. Znajdowały się wśród nich nie tylko koszary i budynek sztabu Wehrmachtu zamieniony na siedzibę dowództwa i sztabu Północnej Grupy Wojsk Armii Czerwonej, ale także gmachy cywilne – szpitale, szkoły, teatr, gmach sądu i więzienie, Stary Ratusz, Akademia Rycerska. Zajęto także trzy tysiące mieszkań w 470 budynkach i przepiękne wille w ekskluzywnej dzielnicy, gdzie zamieszkali generałowie i wyżsi rangą oficerowie.

Ta swoista okupacja skończyła się dopiero po 48 latach, 16 września 1993 r. Był to okres, w którym nie inwestowano, a dewastowano, zatem długo trzeba było przywracać życie i urodę zabytkowym budynkom. Ale już jest pięknie. Zachwyciłam się Legnicą.

LEGENDARNE WIEŻE

Teraz cofnijmy się do przeszłości, tej najodleglejszej. Zapraszam na zamek, najstarszą ponoć i największą warowną budowlę murowaną w Polsce, wzniesioną na miejscu jeszcze dawniejszej drewnianej, bowiem istniał tu już w X wieku słowiański gród Trzebowian. I dziś zamek wygląda imponująco, chociaż jego kształt stał się eklektyczny, gdyż do romańskich początków dołożyły się gotyk, renesans, barok i neogotyk. Ale połączenie to udane, spójne, widocznie działali tu majstrowie, którzy potrafili zadowolić książęce ambicje. Jednego z nich sprowadzono aż z podparyskiego Saint-Denis, aby podwyższył wieże. To właśnie one zrobiły na mnie największe wrażenie. Od razu powiem, że nie są jeszcze dostępne do

zwiedzania, ale ja miałam szczęście, bo się w czepku urodziłam, i udało mi się zobaczyć nawet legendarną komnatę św. Jadwigi w wieży jej imienia.

Wieże stały zrazu osobno, miały być ostatnim schronieniem obrońców zamku. Połączono je z głównym korpusem w czasie rozbudowy. Obydwie obrosły niesamowitymi opowieściami. Wieża św. Piotra zwana też jest Głodową, bowiem według legendy więziono w niej skazańca, któremu rycerz Otton von Hohen miał dostarczać jedzenie; książę zostawił mu na ten cel sakiewkę. Rycerz jednak okazał się hulaką, pieniądze przepuścił i kiedy książę chciał uwolnić więźnia, bo okazał się niewinny – okazało się, że umarł z głodu. Rozgniewany władca rozkazał zatem wrzucić Ottona do turmy, gdzie w towarzystwie rozkładającego się trupa musiał czekać na głodową śmierć. Pochowano ich we wspólnym grobie, z którego duch rycerza wychodzi nocą i straszy ponoć do dzisiaj na ulicach legnickiego grodu.

Sympatyczniejsza legenda związana jest z Wieżą św. Jadwigi, patronki Śląska, która jako dwunastoletnia dziewczynka, córka księcia Meranu, poślubiła z woli rodziców księcia Henryka I Brodatego. Urodziła mu siedmioro dzieci i po 19 latach przykładnego małżeństwa powzięła z nim śluby czystości. Najsławniejszym z jej dzieci był Henryk Pobożny, który w 1241 r. zginął w walce z Tatarami na Legnickim Polu. Zamek legnicki został niezdobyty i kiedy księżna Jadwiga odwiedzała go, mieszkała według legendy w skromnej komnacie na szczycie wieży, która otrzymała jej imię. Wdrapawszy się do tej komnaty – a musiała to być wyprawa niełatwa także dla Jadwigi – znalazłam się w ośmiobocznym, niewielkim pomieszczeniu, które nijak mi nie pasowało do książęcego splendoru. Zostało wprawdzie ozdobione wicią roślinną i figurami rycerzy, ale dopiero w czasach renesansu, trzy wieki później. Dziś piękne malowidła są w fatalnym stanie, spełzły w znacznej mierze, pobazgrały je późniejsze autografy, w tym jeden opatrzony swastyką. Mam nadzieję, że wkrótce doczekają się godziwej konserwacji i zostaną udostępnione zwiedzającym wieżę.

W przeszłość zamku, w którym dziś mieszczą się placówki edukacyjne, można wejrzeć także oglądając romańskie pozostałości ciekawej, bo zbudowanej na planie dwunastoboku kaplicy, a z kolei renesansowe jego dzieje reprezentuje wspaniale brama z przepięknym portalem.

MAUZOLEUM PIASTÓW ŚLĄSKICH

To obowiązkowy punkt wizyty w Legnicy. Mauzoleum Piastów Śląskich w barokowym kościele św. Jana, znajdujące się w dawnym gotyckim prezbiterium świątyni, ale również z barokowym już wy-

Promenada Legnicy, czyli ulica Najświętszej Marii Panny, zwana niegdyś po prostu Panieńską

po lewej
Budynek Dolnośląskiego Oddziału Wojewódzkiego NFZ w Legnicy

Katedra św. św. Apostołów
Piotra i Pawła

po prawej
Wnętrze kościoła
ewangelicko-augsburgskiego
p.w. Wniebowzięcia NMP

poniżej
W Mauzoleum Piastów Śląskich
znajduje się pięć niezwykle
ozdobnych sarkofagów

strojem, to jeden z najzacniejszych zabytków epoki. Kiedy po zaledwie ośmiomiesięcznym panowaniu umarł nagle ostatni z Piastów, książę Jerzy Wilhelm (1660-1675) jego matka, księżna Ludwika, postanowiła własnym sumptem pochować godnie nie tylko jego, ale i poprzedzających go Piastów, zamawiając też za życia sarkofag dla siebie. Powstało mauzoleum rodzinne i dynastyczne zarazem: grobowa kaplica na planie koła, przekryta kopułą, zaprojektowana przez włoskiego architekta Carla Rossiego. W jej centralnym polu znalazł się fresk przedstawiający Heliosa zatrzymującego swój rydwan przed gwiazdozbiorem Raka, poniżej – dwa fryzy po osiem kwater ze scenami z dziejów Piastów. W czterech narożach alabastrowe pomniki księżnej Ludwiki, księcia Chrystiana, księcia Jerzego Wilhelma oraz księżniczki Karoliny, którzy zdają się prowadzić ze sobą rozmowę. Największą uwagę zwraca jednak pięć niesamowicie bogatych, bardzo ozdobnych sarkofagów ze zwłokami księcia Jerzego Wilhelma, jego rodziców oraz księżnej Zofii Elżbiety i Ludwika IV. W krypcie pod podłogą kaplicy znajdują się trumny kilku jeszcze Piastów. Księżniczka Karolina nie mogła być pochowana w mauzoleum, bowiem wszyscy jej krewni byli kalwinami, a ona zmieniła wiarę na katolicką. Spoczęła wiecznie w Trzebnicy, którą także warto odwiedzić; tam również została pochowana św. Jadwiga.

Wspaniała kopuła Mauzoleum
Piastów Śląskich

na górze
Wnętrze kościoła
św. Jana Chrzciciela

DWA RATUSZE

Stary i nowy. Przed nimi były jeszcze dwa, na miejscu Starego: pierwszy uległ pożarowi, drugi także ogień nadwerężył, a poza tym miasto się rozwijało i potrzebowało wciąż rozleglejszej siedziby władz. W ratuszu mieścił się też zazwyczaj sąd, bywało, że i areszt, a do tego straż miejska i ławy kupieckie, potrzebował więc dużo miejsca. No i musiał być gmachem reprezentacyjnym, obfitującym – jeśli się dało – w elementy dekoracji, dosyć w Starym skąpe, bo w dawnych czasach też były problemy finansowe. Stary Ratusz ulepszano architektonicznie prawie przez dwa wieki, powstał jako barokowy, a zakończono go neobarokiem dopiero w 1929 r., kiedy istniał już nowy ratusz, który z pozoru wydaje się starszy, bo oddany do użytku w 1905 r. otrzymał postać neorenesansową ze szczyptą tylko neobaroku, co może mylić niewprawne oko. Ten nowy pełni przynależne mu funkcje, podczas gdy Stary używany jest przez sąsiadujący z nim teatr, którego właściwy gmach też jest piękny i zabytkowy. Nieopodal proszę zwrócić uwagę w rynku na tak zwane Kamieniczki Śledziowe, dawniejsze kramy o kameralnej urodzie, którą w dwóch budynkach podkreślają renesansowe *sgraffiti;* najpiękniejsze są jednak na kamienicy Pod Przepiórczym Gniazdem z połowy XVI wieku, przedstawiające sceny batalistyczne i z bajek Ezopa, a także na fasadzie kamieniczki Scholza z personifikacjami Siedmiu Sztuk Wyzwolonych. Szkoda, że w latach 70. część zabytkowych kamienic w rynku wyburzono. Może nadwerężyło je radzieckie użytkowanie?...

AKADEMIA RYCERSKA

Legnica dumna jest z tego gmachu szczególnie, i słusznie. Barokowa budowla, której fasada od strony ulicy Chojnowskiej ma aż 86 metrów długości, posiada piękną, harmonijną architekturę i ciekawą dekorację rzeźbiarską z epoki. Istnienie w mieście takiej akademii dodawało mu splendoru, zwłaszcza że niełatwo było uzyskać stosowne ku temu prawo od cesarza. Była to uczelnia wielce elitarna, w której kształcić się mieli przyszli dowódcy wojskowi i wysocy rangą urzędnicy dworscy. Uzyskało w niej dyplomy sporo synów znanych polskich rodów, a wśród nich Zamoyscy, Lubomirscy, Radziwiłłowie, Szembekowie, Ossolińscy. Uczono tu przede wszystkim jazdy konnej, czemu służyła ogromna sala maneżowa, ale także fechtunku, strzelania czy sztuki fortyfikacji, nie stroniąc jednak od przedmiotów humanistycznych, w tym języków obcych: modnych wówczas francuskiego i włoskiego. Największe problemy były natury wyznaniowej. Kiedy w protestanckiej Legnicy Habsburgowie przywrócili prawa katolikom, Akademia starała się zachować parytet zarówno wśród uczniów, jak i dyrektorów. Zlikwidowało tę zasadę panowanie pruskie, zmieniając przy okazji charakter uczelni z rycerskiego na gimnazjalny, co wymagało przebudowy wnętrz. Za czasów radzieckich mieściły się w Akademii magazyny i przywrócenie jej do dawnej świetności dobiegło końca dopiero w XXI wieku. Dziś jest to reprezentacyjne centrum legnickiej kultury, miejsce ciekawych wydarzeń lokalnych i międzynarodowych. Na parterze można się też połączyć węzłem małżeńskim, bo mieści się tu Urząd Stanu Cywilnego.

W STRONĘ *SACRUM*

Jerzy Nowosielski, znakomity artysta malarz, niestety już świętej pamięci, powiedział mi kiedyś podczas wywiadu, że sztuki nie powinno się dzielić na sakralną i świecką, tylko na dobrą i złą, a w tej dobrej zawsze gości *sacrum.* Tego *sacrum* jest w Legnicy wyjątkowo dużo, także w kościołach, bo są wyjątkowej rangi artystycznej. Wypada zacząć od katedry św. św. Apostołów Piotra i Pawła. Wprawdzie jej smukły korpus jest architektonicznym, harmonijnym zlepkiem od gotyku do neogotyku, ale oba ozdobione rzeźbami portale – NMP i Pokłonu Trzech Króli – są jednorodne i najwyższej klasy. We

Na romańsko-gotyckiej chrzcielnicy z brązu w legnickiej katedrze artysta przedstawił dwanaście scen z życia Chrystusa

Nagrobek piastowskiej pary
książęcej w legnickiej katedrze

po prawej
Nowy ratusz wzniesiony
w latach 1902-1905

poniżej
Zamek Piastowski w Legnicy

wnętrzu duży wybór dzieł, na które warto zwrócić uwagę. W północnej kaplicy zdobi ołtarz cenny gotycki pentaptyk z XV wieku. Gotyckie są też kamienne posągi apostołów. Dawniejszą metrykę, bo z początku XIII wieku ma wyjątkowa, piękna chrzcielnica z brązu, przedstawiająca dwanaście scen z życia Chrystusa. Ambona pochodzi już z czasów renesansu i reprezentuje je godnie. Jeszcze późniejszy, bo barokowy, jest ciekawy ołtarz barokowy ręki legnickiego mistrza Krystiana Grünewalda. Jeśli dodać chór muzyczny, nagrobki, epitafia, a do tego odkrywane ostatnio malowidła ścienne – to w legnickiej katedrze naprawdę jest co oglądać.

Najstarszą świątynią w Legnicy jest jednakże dziś ewangelicko--augsburski kościół NMP z dziejami sięgającymi XII wieku, ale oczywiście – bo to pożary, rozbudowy, mody – w ciągu stuleci ulegający zmianom. Kiedy weszłam do jego wnętrza, wydało mi się, że jestem w świątyni mauretańskiej, a to dlatego, że na początku XX wieku został pomalowany w czarno-białe geometryczne wzory. Dziwnie – ale ciekawie, a nawet pięknie. Inaczej wyglądał, kiedy – według Długosza – modlił się tu przed wyruszeniem na bitwę z Tatarami Henryk Pobożny. Dowiadujemy się też, że kiedy wychodził już z kościoła, z wieży oberwał się kamień i spadł, niemal trafiając w księcia, co poczytano oczywiście za zły omen; sprawdził się, niestety. Mam nadzieję, że ten dawny fakt nie zniechęci Czytelników do zwiedzania tej świątyni, a i całego miasta również. Bo Legnica naprawdę zachwyca.

ŁOWICZ
MIĘDZY *SACRUM* A *PROFANUM*

Obraz Najświętszej Marii
Panny Łowickiej, zwanej
Księżną Łowicką,
dzieło Adama Swacha (1719)

po prawej
Łowiczanka na kiermaszu
w skansenie

Czy wiecie, że Łowicz, niewielkie dziś, spokojne przez większą część roku miasto powiatowe było niegdyś stolicą Polski? Miało do tego prawo w czasie *interregnum*, kiedy umarł król, a nie wybrano jeszcze następnego. Bowiem tak jak i dzisiaj pierwszym dostojnikiem po prezydencie był marszałek sejmu; w dawnych czasach był nim prymas. A jego siedziba znajdowała się nie tylko w Gnieźnie, ale też w Łowiczu.

POLSKIE – I MAZOWIECKIE

Najpierw był to położony nad Bzurą gród piastowski, ponoć jeden z najwcześniejszych w tej części Polski, wzmiankowany po raz pierwszy w 1138 r. w bulli papieża Innocentego II, przyznającej dobra łowickie arcybiskupom gnieźnieńskim, z którymi związane są do tej pory. Było to największe w kraju nadanie, bo obejmowało aż 111 wsi, nic więc dziwnego, że o Łowicz dbano. I było tak niezależnie od tego, czy gród należał do Polski, czy do Księstwa Mazowieckiego, które dopiero w 1529 r. zostało formalnie włączone do Korony. Królowie polscy jednak zabiegali wcześniej o niejako secesyjne Mazowsze, przyznając mu rozmaite przywileje, takie jak prawo do zakupu wielickiej soli czy organizowania jarmarków, jak również gwarantując immunitet arcybiskupów gnieźnieńskich w Łowiczu do tego stopnia, że książę mazowiecki Siemowit III zachował tam dla siebie jedynie prawo polowania na tury.

Skoro arcybiskupi gnieźnieńscy władali w Łowiczu gospodarczo, musieli zadbać i o substancję duchową miasta. Pierwszego kościoła parafialnego, ponoć z początku XII wieku, zobaczyć nie mogłam, bo był drewniany i w miarę wzrastania potęgi arcybiskupstwa trzeba go było w XV wieku zastąpić murowanym, z cegły i żelaza. Był wówczas gotycki, ale moda się zmieniała także w architekturze, więc dwa wieki później kościół parafialny, już wówczas kolegiatę, trzeba było powiększyć i przebudować już w guście baroku, choć jeszcze nieco renesansu. Powierzono to zadanie braciom Tomaszowi i Andrzejowi Poncino, jako że wówczas wznoszeniem świątyń i pałaców zajmowali się w Polsce Włosi. I chwała im za to, bo przywozili do nas bardziej rozwiniętą kulturę. Tę właśnie świątynię, obdarzoną w 1992 r. tytułem kościoła katedralnego, a wkrótce

podniesioną do honorowej godności bazyliki mniejszej, oglądałam i fotografowałam *anno domini* 2012, a także kilka razy wcześniej, bowiem na to zasługuje. Obrosła w ciekawe artystycznie kaplice – najbardziej godna uwagi wydała mi się XVI-wieczna kaplica prymasa Jakuba Uchańskiego, której twórcą był polski artysta, znamienity Jan Michałowicz z Urzędowa. Warto też zwrócić uwagę na wizerunek Matki Bożej Łowickiej, dzieło franciszkanina Adama Swacha z 1719 r. Zastąpiło ono dwa poprzednie obrazy, które spłonęły w kolejnych pożarach, bowiem los katedrze dopustów nie szczędził. Ale o dostojności świątyni świadczy przede wszystkim fakt, że znalazło w niej wieczny spoczynek aż dwunastu prymasów – gnieźnieńskich, mazowieckich i polskich. Religia łączyła te rozdzielone niegdyś politycznie ziemie.

Matka Boża Łaskawa, patronka kościoła w Łowiczu

ROZKWIT ZATOPIONY

Najwięcej w Łowiczu działo się dobrego przed szwedzkim potopem, po którym nastąpiła stagnacja, bowiem trudno było podźwignąć się z upadku po zniszczeniach i grabieży. Bez uszczerbku ostały się jedynie kościół i klasztor bernardynek, wybudowane tuż przed potopem przez świetnego, wspomnianego już Tomasza Poncino. Powiadają, że uratował je cud. Oto do kościoła weszła żona szwedzkiego generała, który właśnie łupił miasto. Kiedy spojrzała na obraz Matki Bożej Łaskawej, ujrzała w nim ponoć nadzwyczaj-

na górze
Fasada kościoła pijarów p.w. Matki Bożej Łaskawej i św. Wojciecha

po prawej
Ołtarz główny w kościele pijarów

Rzeźba Króla Dawida w kościele pijarów

poniżej
Katedra w Łowiczu p.w.
Wniebowzięcia NMP

ne promieniowanie. Szybko sprowadziła do świątyni męża, który również uległ niezwykłemu światłu i dzięki temu nie dopuścił do zniszczenia kościoła.

Bernardynki w ciągu wieków przechodziły tu jednak ciężkie koleje losu. Musiały się dwukrotnie przenosić do Wielunia: raz, gdy prymas prażmowski wolał w ich klasztorze osiedlić pijarów, a drugi raz – gdy zaborcy skasowali klasztor. Na swoim też nie było im lekko; żeby wyżyć, musiały zamienić pobliskie bagniska w ogród warzywny, poza tym haftowały i uczyły dziewczęta, a w czasie obu wojen wspierały rannych i uwięzionych.

Także przed potopem, bo już w 1404 r. (przebudowany jednak w XVII wieku), powstał gotycki, choć w części zbarokizowany kościół św. Ducha. Jak wszystkie pod tym wezwaniem, z założenia służył celom szpitalnym, a dopiero później stał się parafią. Najcenniejszym jego zabytkiem jest późnogotycka (około 1500) figura Matki Bożej z Dzieciątkiem. Figurę oraz ciekawe kaplice polecam uwadze.

Pijarzy doczekali się własnej świątyni wkrótce po potopie: okazałej, przebudowanej później przez świetnego Jakuba Fontanę i Karola Baya, zaliczanej do „pereł baroku". Fasada jest przepiękna, rozfalowana, ale na uwagę zasługuje również barokowy wystrój wnętrza z rzeźbami Plerscha, resztkami, niestety, polichromii przy-

Wnętrze chaty łowickiej.
Skansen w Maurzycach

pisywanej Michałowi Aniołowi Palloniemu, z piękną figurą Madonny Pelikańskiej, bo z pelikanem, godłem Łowicza na piersi. Polecił ją mojej uwadze znakomity rzeźbiarz Gustaw Zemła, potwierdzając tym samym jej wysoką rangę artystyczną i emocjonalną. Pijarzy położyli wielkie zasługi dla edukacji, nie tylko łowickiej – w Łowiczu bowiem odbywały się kapituły prowincjonalne, a na jednej z nich, w 1753 r., została uchwalona zainicjowana przez księdza Stanisława Konarskiego reforma oświaty, która dała początek działaniom Komisji Edukacji Narodowej. Kościół przechodził różne koleje, bo był i magazynem, i stajnią, i szpitalem, i garażem. Pijarzy musieli go opuścić, ale wrócili w 1958 r. i nadal prowadzą misję edukacyjną.

Łowickie wesele

następne strony
Chata łowicka. Skansen
w Maurzycach pod Łowiczem

poniżej
Łowicki kiermasz. Skansen
w Maurzycach

TERAZ CZAS NA *PROFANUM*

Zanim napiszę o świeckich zabytkach wspomnę o księżnej łowickiej, Joannie Grudzińskiej. Była małżonką morganatyczną Wielkiego Księcia Konstantego, czyli nie miała prawa awansu do jego arystokratycznej sfery ani majątków; prawa te nie przysługiwałyby także ich potomnym. Konstanty zrzekł się dla pięknej Polki prawa do tronu, a gdy przyznano mu dobra łowickie, hrabianka Joanna otrzymała tytuł księżnej łowickiej. Ponoć związek był emocjonalnie udany. Po śmierci Konstantego (w 1831 r.) żona symbolicznie obcięła warkocze i włożyła je do trumny. Umarła pół roku później w Carskim Siole.

Nigdy nie była w Łowiczu.

Wracając do Łowicza: z dawnego, okazałego zamku pozostała zaledwie zakonserwowana ruina. Oczywiście do jego upadku przyczynili się też Szwedzi, choć został im oddany bez oporu, a także gościł ich króla Karola Gustawa. Jedli tam i pili, ale wycofując się wysadzili znaczną część budowli w powietrze. Zamek ma metrykę wcześniejszą, powstał bowiem w czasach Kazimierza Wielkiego, a więc jako gotycki, z czasem przebudowany na renesansowy, z pałacem, loggią kolumnową, bastionami i ogrodami. Gdy odbudowano go po potopie, to stąd właśnie wyruszył król Jan III Sobieski na rozprawę z Turkami.

Ale to nie wojny doprowadziły zamek do ruiny, tylko założona w nim w XVIII wieku fabryka płótna i pożar, po którym nikt go nie był w stanie odbudować, zwłaszcza że mury zostały rozkradzione na budowę łowickich kamienic. To co zostało, na szczęście zakonserwowano i można oglądać ruiny zamku nad Bzurą, ale trzeba mieć dużą wyobraźnię, żeby uprzytomnić sobie, że niegdyś był wspaniały.

Po zamku najważniejszy jest ratusz, który z potopem nie ma już nic wspólnego, bowiem obecny powstał dopiero w latach 1825-1829 według klasycystycznego projektu Bonifacego Witkowskiego. Ma dwie kondygnacje, dwa trakty i dwie kolumny na fasadzie, a we wnętrzu herby i portrety związane z dziejami miasta.

Podłowickie wioski słyną z wyrobów wikliniarskich

NA ŁOWICKIM JARMARKU

Łowicz słynie jednak nie tylko z architektury, lecz również z tradycji przebogatego folkloru widocznego zwłaszcza podczas Niedzieli Palmowej, Bożego Ciała i... jarmarków. Ich dzieje sięgają XIII wieku, ale stały się atrakcyjne dopiero po zawarciu Unii Polsko-Litewskiej, gdyż szlak ziemny okazał się dla wzajemnej wymiany towarów dogodniejszy niż wodny. Łowicz posiadał prawo do sześciu jarmarków, przy czym najsławniejsze były dwa – czerwcowy „świętojański" i wrześniowy „mateuszowski", trwające aż kilka tygodni. Według relacji świadka z około 1700 r. *na jarmark mateuszowski przybyło aż 40 tys. ludzi, z 5 tys. wołów i 12 tys. innej rogacizny.* Poza tym Łowicz miał trzy rynki i każdy z nich organizował własny jarmark.

Jarmarki, wielce okazałe, odbywają się w Łowiczu do dzisiaj, choć świętojański i mateuszowski były zakazane w czasach PRL. W każdą pierwszą niedzielę miesiąca można na nich nabyć „przedmioty z duszą", czyli antyki przywożone tu z całej Polski. Atrakcją jarmarków jest też pyszne jadło i występy artystyczne, i to w prawdziwych strojach łowickich. Wszystkie te stroje – czy to męskie, czy damskie – były niegdyś ręcznie tkane, z przewagą pasków czerwonych, pomiędzy które wstawiano paski w innych kolorach. Miałam okazję zobaczyć ten folklor w pobliskim skansenie w Maurzycach, gdzie zgromadzono 40 obiektów Ziemi Łowickiej. Podczas świetnie zorganizowanego festynu nie tylko podziwiałam występy muzyczne i taneczne, stroje oraz smakowitą kuchnię, ale także zaopatrzyłam się w przepiękne łowickie wycinanki, które wiejskie artystki wykonywały na miejscu, proponując mi nawet udział w tej robocie. Były też do nabycia łowickie pająki, a z artykułów spożywczych – przepyszny miód, wędliny, chleby i przetwory owocowe. Także miejscowe nalewki. Naprawdę warto tam pojechać.

BIEBRZA
Z NIEBA

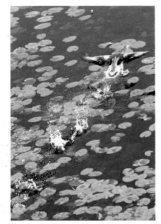

Dolina Biebrzy to raj dla ptaków

po prawej
Rozlewiska Biebrzy widziane
z balonu

Poza granicami cywilizacji, poza czasem i codzienną gonitwą – Biebrza staje się namiastką utraconego raju. Ten wyjątkowo piękny zakątek Polski warto odwiedzić o każdej porze roku.

Najpierw chodziłam tu po ziemi. I to nie z byle kim – po biebrzańskich bagnach, największych w Europie, oprowadzał mnie sam Król Biebrzy, Krzysztof Kawenczyński, niegdyś warszawski antykwariusz.

Zbankrutował z chciwości, bo zapragnął posiąść wszystkie najstarsze w Polsce wydania Biblii, a to były najprawdziwsze skarby – księgi wielce kosztowne. Ogłosiwszy upadłość, nie załamał się, lecz za reszki księgarskiego dorobku nabył posiadłość nad Biebrzą, w Budach koło Trzciannego. Znam takich, którzy mają więcej pieniędzy i osiedlają się w Prowansji albo w Toskanii, tam gdzie klimat o wiele łaskawszy. To ci, co nie znają Biebrzy tak jak Krzysztof. I jak ja, bo też już jestem „biebrznięta".

NACZELNIK W ZALOTACH

Najlepiej pojechać nad Biebrzę między lutym a majem, kiedy tokują ptaki. Jest ich tam około 250 gatunków, w tym 21 zagrożonych. Tokowisko, czyli ptasie zaloty, to fascynujące przedstawienie. Najciekawsze urządzają bataliony, a to one właśnie są symbolem Biebrzańskiego Parku Narodowego, największego w Polsce (59 tysięcy hektarów). Nad tokowiskiem czuwa jego batalionowy naczelnik – elegancki, w czarnym surducie, z pomocnikiem też ubranym na czarno, tyle że w białe cętki. Najatrakcyjniej wyglądają samce, których kolorowe pióra tworzą wielce ozdobną kryzę wokół szyi, podczas tańca mocno nastroszoną. Godowy tan to raczej pojedynek, podczas którego te niesłychanie barwne, duże ptaki tłuką się zawzięcie, by zdobyć małą, szarą samiczkę, bo ona wybierze przecież najdzielniejszego rycerza.

ŻURAWIE DIONIZEGO

Podczas tokowania agresywne są także cietrzewie, bo muszą się zacietrzewiać... choćby z definicji. Jest ich coraz mniej – od czasu, gdy minęła moda na naturalne futra, rozmnożyły się gustujące w cietrzewich frykasach lisy. Bekasy kszyki walczą o partnerkę

Balon to najlepszy środek transportu na biebrzańskich rozlewiskach

po prawej
Łoś – król biebrzańskich zwierząt

poniżej
Ścieżki łosi na biebrzańskich bagnach

w akrobatycznym locie, bekając zawzięcie. Trudniej jest obserwować bielika, orła przedniego czy też grubodziobego orlika krzykliwego. Za to bez problemów można wziąć udział w wieczornym koncercie żurawi, które przylatują nad Biebrzę najwcześniej i odlatują najpóźniej – ich tańce godowe także są przepiękne. Warto wiedzieć, że żuraw, będący w Chinach symbolem długowieczności, w naszej śródziemnomorskiej kulturze symbolizuje dobroć i sprawiedliwość.

W zagrodzie Króla Biebrzy można nabyć drewniane figurki żurawi oraz innych biebrzańskich ptaków, wyrzeźbione przez znakomitego ludowego twórcę Dionizego Purtę z Białegostoku.

Nic dziwnego, że wiosną przyjeżdżają nad Biebrzę ornitolodzy z całego świata, aby ze specjalnych ambon widokowych obserwować zaloty ptasich mieszkańców kotliny i robić im atrakcyjne zdjęcia kosztownymi teleobiektywami.

PERZEM OSOWIEC STOI

Zachęcam Czytelników, by odwiedzali ten przepiękny zakątek Polski przez cały rok. Lato ma tę zaletę, że można spłynąć liczącą 155 kilometrów Biebrzą. Bagna są już przesuszone, więc bezpieczniejsze dla naszych butów będą wycieczki do najsławniejszych rezerwatów – Grzędy czy Czerwone Bagno – wyposażonych zresztą w kładki i mostki.

Jednak Biebrza to nie tylko bagna i ptaki. Zawsze można, a nawet należy, odwiedzić twierdzę Osowiec, jedną z czternastu ufortyfikowanych placówek między Niemnem a Wisłą, które miały bronić imperium rosyjskiego. Z jej budowy cieszyli się najbardziej nadbiebrzańscy chłopi, którzy dla umocnienia wałów obronnych sprzedawali Rosjanom... perz. Niezły grosz przynosiły im także polne kamienie, służące do wykładania w bagnach dróg, do dzisiaj zwanych „carskimi".

Najciekawiej oprowadza po twierdzy Osowiec i jej muzeum poeta Mirosław Wrona, mój przyjaciel, też „biebrznięty", który uzasadnił swój pobyt tam takim oto wierszem:

Twierdza Osowiec

po lewej
Biebrza na przedwiośniu

Wyprowadzam siebie
na spacer
poza granice cywilizacji
i węszę
za utraconym rajem.

Piękny – prawda?

CZARNA DUSICIELKA

Twierdza była samowystarczalna. Znajdowały się w niej koszary, schrony, prochownia, szpital, cerkiew, a nawet cmentarz. Oczywiście miała też swoje legendy, jak ta o złotym skarbie pułku – ważącym prawie 32 kilogramy, zakopanym gdzieś i do dzisiaj nie odnalezionym.

Najsławniejsza jest jednak legenda o Czarnej Damie. Kiedy podczas I wojny światowej Niemcy zaatakowali broniących się w twierdzy Rosjan, tajemnicza czarna postać ukazała się nad napastnikami w oparach chloru i udusiła aż tysiąc żołnierzy! Podobno straszy w Osowcu do dzisiaj, zwłaszcza tych, którzy chcieliby wynieść ukradkiem z muzeum jakieś eksponaty albo nabazgrać brzydkie słowa na murach twierdzy. Ładnych też tu zresztą zostawiać nie należy.

STĘKANIE KRÓLA MOKRADEŁ

O każdej porze roku, nawet zimą, kiedy kotlinę pokrywa śnieg i świeci słońce, Biebrzę można oglądać z nieba. To niesamowite przeżycie zapewnił mi wiele razy Andrzej Ćwikła, były mistrz Polski w lotach balonem na ogrzane powietrze. Niegdyś robił to tylko sportowo, teraz ma kilka gondoli, a i znakomitego następcę, syna Błażeja, toteż przy dobrej pogodzie użycza klientom swych podniebnych pojazdów, oczywiście pod osobistą opieką.

Leci się albo po wschodzie słońca, albo tuż przed jego zacho-

„Król Biebrzy"
Krzysztof Kawenczyński

poniżej
Elżbieta Dzikowska
z Krzysztofem Kawenczyńskim
przed jego domem w Budach

dem, wtedy wiatry są najłaskawsze. Balon może się wzbić dwa kilometry w górę – widzi się wówczas cudowną, rozległą panoramę okolicy z nieprawdopodobnymi zakolami rzeki – lub opaść do sześciu ledwie metrów nad ziemię, żeby można było oglądać i fotografować uciekające przed nim zwierzęta.

Najlepiej widać z góry łosie, bo to okazy duże, ważące od 350 do 500 kilogramów. W dolinie Biebrzy jest największa ich ostoja w Polsce, żyje tu bowiem około 1400 osobników, z czego połowa na terenie Biebrzańskiego Parku Narodowego. Bagna to najlepsze środowisko dla tych zwierząt – nie bez powodu nazywa się łosia „królem mokradeł". Łosie oczywiście nie tokują, ale od sierpnia do października mają ruję, czyli bukowisko, co można rozpoznać po odgłosach charakterystycznego stękania.

Od listopada zaczynają gubić bardzo atrakcyjne poroża, które ważą nawet kilka kilogramów. Przestrzegam przed ich zbieraniem na terenie parku!

SZCZĘŚLIWY Z WYBORU

Oprócz łosi – które najłatwiej obserwować rankiem i wieczorem, kiedy są najaktywniejsze (a więc wówczas, gdy możemy latać nad mokradłami balonem) – obserwowałam z nieba moich „kuzynów", czyli... dziki, a także sarny i jelenie, a zatem wszystkie te zwierzęta, które są widoczne wśród wysokich turzyc, podczas gdy mniejsze pozostają tam w ukryciu.

Są jeszcze nad Biebrzą inne przyjemności. Startuje się często z łąki w Dobarzu, obok „Dworu", czyli świetnej restauracji z regionalnymi potrawami. Życzę smacznego!

Z Dobarza niedaleko już do Bud (ot – ze dwa kilometry drogą przez las), gdzie rezyduje Król Biebrzy. Wiecie, jak żyje ten biebrzański monarcha? Wodę ma w studni, zamiast gazu pali drewnem, toaletę zastępuje drewniana „sławojka" na podwórzu. Wszystko to z wyboru, ekologicznie, w takich warunkach jest szczęśliwy. Po zagrodzie biega około dwudziestu psów, bo zgarnia wszystkie porzucone. Na pastwisku pasie się kilkanaście krów – gospodarze oddają mu je na dożywocie, gdy już nie dają mleka, a i na mięso się nie nadają. Ma też kilka koni polskich, tak dla ich urody.

Zajrzyjcie więc do Bud, by poznać człowieka, który ceni inne niż ogół wartości. Za niewielką opłatą można na jego włościach urządzić piknik, nauczyć się strzelania z kuszy, posłuchać ciekawych opowieści i oczywiście nabyć na pamiątkę biebrzańskie ptaki, tak przepięknie rzeźbione przez Dionizego Purtę.

Miłej wycieczki!

Idzie wiosna

następne strony
Biebrzański Park Narodowy widziany z balonu

W DROHICZYNIE,
GDZIE BUG PŁYNIE

Ołtarz kościoła
p.w. Wszystkich Świętych

po prawej
Kościół benedyktynów
p.w. Wszystkich Świętych

Magiczna nazwa, magiczne miejsce, tylko trzeba poruszyć wyobraźnię. Najlepiej wspiąć się na Górę Zamkową i rozejrzeć dookoła. Z jednej strony Bug wijący się malowniczymi zakolami, z drugiej – miasto dumne swoją przeszłością, niegdyś bogate i ważne w jakichkolwiek granicach by nie było, dzisiaj – liczące zaledwie dwa tysiące mieszkańców drżących o pracę, o ile nie wyjechali szukać jej za krajem; miasto ludzi niezamożnych, ale z jakże szlachetną podlaską duszą niezależnie od tego, z jakiej wywodzą się etni i wiary.

STOLICA PODLASIA

Tak właśnie było – niegdyś to Białystok należał do województwa podlaskiego, którego stolicą był Drohiczyn; dzisiaj jest odwrotnie. Dzieje grodu są długie. Sprzyjało mu położenie nad Bugiem, który był ważną przed wiekami trasą handlową. Spławiano nim towary na Ruś; łączył nawet pośrednio Bałtyk z Morzem Czarnym. Już w XI wieku była tu ponoć komora celna, a w okolicy znaleziono nawet monety arabskie. To atrakcyjność transportowa sprawiała zapewne, że gród przechodził z rąk do rąk, a to drogą wojen, a to kupna. Władali nim Rusini, Litwini i książęta z Mazowsza, dopiero w 1569 r. został włączony do Korony. Było to od zawsze miasto pogranicza, plądrowali je Jadźwingowie, Tatarzy, Węgrzy, Krzyżacy. Jego dobry czas to wiek XVI, w 1520 r. król Zygmunt Stary mianował Drohiczyn stolicą województwa podlaskiego. Miasto miało wówczas aż 77 rzemieślników – szewców, krawców, kuśnierzy, postrzygaczy sukna, kowali, mieczników, a także zaliczanych do rzemiosła rybaków. Posiadało też dwa młyny, a na początku następnego stulecia trzy kościoły, pięć cerkwi i cztery klasztory. Po szczytowym rozkwicie w XVII wieku nastąpił jego upadek, a to na skutek wojennych agresji Szwedów. Zrujnowali oni bezpowrotnie Drohiczyn, przez 17 tygodni – jak zapisała ksieni zakonu benedyktynek Elżbieta Chronowska – paląc miasto i mordując jego mieszkańców. Stolicą Podlasia pozostał jednak aż do pierwszego rozbioru Polski.

TO SIĘ PAMIĘTA

Pamięta się w Drohiczynie głównie to, co dobre, co przydało miastu sławy. Więc przede wszystkim koronację księcia wołyńsko-halickiego Daniela Romanowicza na władcę Rusi. Dopełnili tej ceremonii w 1253 (lub 1254) r. legat papieski Opizon i biskup krakowski Jan Prandota, a przybyło do Drohiczyna liczne grono książąt, bojarów, a także polskich rycerzy. Co prawda Daniel nawrócony z tej okazji na katolicyzm powrócił później do prawosławia, ale nie o wiarę w drohickiej pamięci chodzi, lecz o splendor ceremonii najważniejszej do momentu, kiedy w 1999 r. przybył do nadbużańskiego miasta Jan Paweł II i odprawił na łąkach ekumeniczne nabożeństwo.

W Muzeum Diecezjalnym zgromadzono cenną kolekcję ornatów

Wspomnieniem chwalebnym jest też udział chorągwi drohickiej w bitwie pod Grunwaldem, a dowodził nią osobiście wielki książę litewski Witold, wówczas władca drohickiej warowni, którą sobie ponoć wielce upodobał.

Były jednak i momenty mniej sławne. Oto w latach 1237-1241 należał Drohiczyn do rycerskiego zakonu braci dobrzyńskich. Mieli bronić orężnie Podlasia przed napadami pogańskich Prusów i Litwinów, a sami, co do jednego, zginęli od oręża Tatarów, bo przecież – jak powiada przysłowie – kto orężem wojuje, ten od oręża ginie.

Dzieje miasta – to nie tylko wojenne wspomnienia. Słynął Drohiczyn z wysokiego poziomu szkolnictwa, najpierw jezuickiego, potem prowadzonego przez pijarów. Jezuickie *Collegium Nobilium* ukończył miedzy innymi franciszkanin Karol Gaudenty Żera, którego muszę wspomnieć, bo w 1797 r. wydał zbiór anegdot *„Vorago rerum* czyli Torba śmiechu", „Groch z kapustą", „A każdy pies z innej wsi", przywodzące mi tytułem na myśl moje przewodniki „Groch i kapusta".

W czasach późniejszych – szczyci się miasto – uczyli się w Drohiczynie ks. Franciszek Jakub Falkowski, twórca języka migowego, Józef Ignacy Kraszewski, Wojciech Anzelm Szweykowski, pierwszy długoletni rektor Uniwersytetu Warszawskiego, a w czasach niedawnych – Daniel Olbrychski, którego imieniem nazwano miejscowe kino.

TO, CO POZOSTAŁO: KATEDRA

O chlubnej przeszłości Drohiczyna świadczy to, co po niej pozostało. Kiedy wjeżdża się do miasta o niskiej, niekoniecznie pięknej zabudowie, zrazu ma się wrażenie, że to niezbyt duża wieś. I nagle wyrastają przed nami budowle, których rozmiary zupełnie do tego miejsca nie przystają, zaświadczając, że kiedyś musiało tu tętnić całkiem inne życie. Po zamku zachowała się jedynie nazwa Góry

Zamkowej. Przetrwały za to trzy kościoły i cerkiew – co prawda nie w pierwotnej formie, ale przynajmniej na zewnątrz ich architektura, odnawiana wprawdzie, się zachowała.

Zacznijmy od kościoła pojezuickiego, czyli katedry, bowiem niewielki Drohiczyn jest siedzibą biskupstwa (biskup rezyduje w dawnej siedzibie *Collegium Nobilium*) tudzież potężnego seminarium. Sądząc z metryki – a obecna świątynia została zbudowana po szwedzkim potopie, który pozbawił miasto poprzedniej – katedra winna być pięknym, barokowym kościołem z bogatym, jak czas przykazał, wystrojem. Ale gdzie tam! Ołtarz główny powstał dopiero w latach 60. XX wieku, przy czym są w nim zaledwie dwie oryginalne figury; kiedyś było aż 36 barokowych rzeźb. A stało się tak z powodu następnych potopów: najpierw sowieckiego w 1939 r., kiedy to urządzono w katedrze stajnię i spalono albo wywieziono co się dało. Z bogatej biblioteki zawierającej ponad dwa tysiące woluminów ocalał tylko jeden: wydane w 1558 r. mowy św. Jana Chryzostoma, z którego sołdaci wyrywali kartki, by z nich skręcać papierosy, ale że papier był czerpany i źle się palił – wyrzucili księgę; na szczęście ktoś ją znalazł i przechował, toteż mogłam ją zobaczyć i sfotografować w Muzeum Diecezjalnym. Kolejny był potop niemiecki, kiedy w katedrze urządzono strzelnicę, nie oszczędzając jej murów.

Kielich wygnańców syberyjskich z podgrzewaczem, bo kapłanowi było zimno w dłonie. Muzeum Diecezjalne

na górze
Katedra p.w. Trójcy Przenajświętszej

Monstrancja wykonana z blachy zestrzelonego samolotu. Muzeum Diecezjalne

po prawej
Kościół franciszkanów p.w. Wniebowzięcia NMP

poniżej
Barokowy ołtarz główny w kościele franciszkanów

Skoro wspomniałam już o Muzeum Diecezjalnym znajdującym się jednak nie przy diecezjalnej katedrze, a przy kościele franciszkanów, to zdradzę od razu, że jest to placówka o niesamowitej wartości i koniecznie trzeba ją odwiedzić. Poza wspaniałą kolekcją ksiąg zgromadzono tu niezwykle cenny zbiór ornatów, a specyfiką są te wykonane z pasów słuckich. Są tu też kosztowne monstrancje i kielichy, wśród których znalazł się też kielich skromniejszy, za to historyczny, bo syberyjskich wygnańców. Duchownemu tak tam było zimno w dłonie, że zainstalowano przy kielichu... podgrzewacz. Obok – też wygnańcza monstrancja, wykonana z blachy zestrzelonego samolotu.

FRANCISZKANIE I BENEDYKTYNKI

To właśnie na miejscu dzisiejszego kościoła franciszkanów stała świątynia, w której ukoronowano Daniela Romanowicza. Obecny kościół, podobnie jak katedra, został wzniesiony po potopie i też miał losy nie najciekawsze: wkrótce zaczął popadać w ruinę, zaś w klasztorze urządzono więzienie i koszary. Za Sowietów natomiast był w kościele horrendalny śmietnik albo po prostu kloaka, jak to określił pan Tadeusz Bujno, geodeta, naczelnik miejscowej straży pożarnej, pasjonat dziejów Drohiczyna, a zarazem mój znakomity przewodnik po tym mieście. Z barokowego wyposażenia ostał się

Matka Boża Hodegetria
w cerkwi p.w. św. Mikołaja

ołtarz główny wypełniający faliście całe prezbiterium i ledwie kilka z kilkunastu bocznych, wszystkie przypisywane szkole wileńskiej, przywrócone do życia rekonstrukcją po wojennych przeżyciach.

Z kościoła benedyktynek, osiadłych tu w XVII wieku (ale obecna świątynia jest późniejsza o stulecie), drohiczynianie są szczególnie dumni. Powiadają, że gdy przejeżdżał przez Drohiczyn Napoleon, tak się podobno nią zachwycił, że postanowił zbudować jej kopię we Francji. Najpiękniejsza jest harmonijnie rozfalowana fasada, przypisywana znakomitemu architektowi Jakubowi Fontanie. Kościół, jak biały klejnot, stoi na wzgórzu; z daleka już widać jego charakterystyczną sylwetkę. Niedaleko jest ciekawy cmentarz, gdzie mają groby katolicy, prawosławni, protestanci. Pośmiertny ekumenizm.

U MIKOŁAJA CUDOTWÓRCY

Ale nie tylko pośmiertny. Teraz także żyją tutaj w zgodzie katolicy i prawosławni, których jest około 40 procent. Niedaleko Drohiczyna znajduje się Grabarka, swoista Częstochowa prawosławia, i właśnie 19 sierpnia jest tu największe święto, na które zdążają pielgrzymki z całego kraju znosząc krzyże, których stoi tu już kilka tysięcy. W Drohiczynie zachowała się cerkiew p.w. św. Mikołaja Cudotwórcy. Wzniesiona dla bazylianów, następnie unicka, wreszcie przeszła w prawosławne ręce, które dostawiły jej kopułki na dachu, żeby to było oczywiste. Usunięto także wtedy boczne ołtarze i ambonę, bo do nowej wersji nie przystawały. Ksiądz mnie o wyznanie nie pytał, życzliwie oprowadził i pozwolił sfotografować wnętrze pomalowane (choć powinno się pewnie, bo to ikony, użyć słowa „napisane") niezbyt dawno przez Greka, który się okazał uczniem Jerzego Nowosielskiego z Krakowa; pomalował dobrze, ale gdzie mu tam do mistrza! Teraz wszystko w cerkwi jest nowe, tylko ikonostas dawniejszy, przeniesiony z okolicy. Powód wystroju świeżej daty oczywisty – Sowieci zniszczyli co się dało i założyli w cerkwi... rzeźnię.

Niedawno zbudowano w mieście drugą cerkiew, którą właśnie ten sam polski Grek maluje.

OD ŻEROMSKIEGO DO DZISIAJ

Jak wyglądał Drohiczyn w końcu XIX stulecia, czyli pod rosyjskim zaborem, możemy się dowiedzieć z opowiadania Stefana Żeromskiego „Mogiła". Poza tym autor, nauczyciel w niedalekim dworze, tak opisuje w „Dzienniku" ówczesny Drohiczyn: *Wjechaliśmy do miasta pod stromą górę. Co za rozczarowanie! Najbiedniejsza mieścina, jaką wyobrazić sobie można...* A w powieści „Uroda życia" są takie zdania: *W rynku stał jeden kościół waląc się w gruzy, poniżej widać było ogromny klasztor, również w gruzach. Na uboczu kwitł kościół gotycki, zamieniony na cerkiew prawosławną za pośrednictwem umieszczenia bań bizantyńskich na jego wieżach – dalej jeszcze jakaś świątynia osypiskami swymi dodawała malowniczości temu grodowi... Od tych drohiczyńskich ruin biła wzniosłość.*

Cytuję wieszcza, bo to naoczny przekaz dziejów miasta. Na szczęście to już historia. Dzisiaj Drohiczyn, biedny i bezrobotny, choć to stolica dekanatu, może tylko wspominać dawną świetność, ale przecież kościoły i cerkwie powróciły, może nie do świetności jeszcze, ale do użytku. Muzeum Diecezjalne jest jednym z najcenniejszych w Polsce i nie bez powodu twierdzi się, że na jednego drohiczynianina przypada najwięcej w kraju zabytków, a okolica jest tak piękna, że nakręcono tu już kilka filmów, w tym „Sanatorium pod klepsydrą", „Nad Niemnem" i „Panny z Wilka". Mieszkańcy są dumni ze swego miasta, a ludzie to niezwykli. Podlasiacy. Życzliwi i serdeczni; nie majętność ważna dla nich, ale jakość życia. Spędziłam noc w agroturystycznej zagrodzie ukrytej w głębi pobliskiego lasu. Jej właścicielom nie śni się do miasta, uprawiają tu trochę pola, hodują kury na podwórku (wyśmienita jajecznica!), mają kilkanaście kóz, a z ich mleka pyszne sery; przed domem mnóstwo kwiatów i niewielki skansen. Niedrogo. Świetny relaks dla zabieganego mieszczucha, polecam. Po spotkaniu w Domu Kultury od pani Uli dostałam własnoręcznie wyhaftowaną poduszkę, od pszczelarza z okolicy słoik wyśmienitego miodu, a od innej jeszcze drohiczynianki – najprawdziwszą nalewkę, której na miejscu na cześć donatorki spróbowałam co nieco.

Gdzie ludzie mają większe serce aniżeli na Podlasiu?

Zapraszam do Drohiczyna. Gdzie Bug płynie...

Ołtarz w cerkwi p.w. św. Mikołaja

poniżej
Freski na suficie w cerkwi
p.w. św. Mikołaja

ZAMOŚĆ
MIASTO NA POKAZ

Fragment kamienicy
„Pod Aniołem"

po prawej
Pomnik właściciela i założyciela
Zamościa, kanclerza i hetmana
wielkiego koronnego
Jana Zamoyskiego

Tak, na pokaz, możemy się chlubić Zamościem, jego wyjątkowy plan nie ma w kraju konkurencji. Mówi się o tym mieście „Padwa Północy", może dlatego, że jego twórca Bernardo Morando urodził się prawdopodobnie w Padwie (około 1540 r.), ale wielkich zbieżności architektonicznych ani urbanistycznych pomiędzy obu miastami nie zauważyłam. Padwa została założona już w IV wieku p.n.e., podczas gdy Zamość Morando wymyślił na rajzbrecie w końcu XVI wieku. A jednak pewien związek istnieje: oto właściciel i założyciel Zamościa, kanclerz i hetman wielki koronny Jan Zamoyski studiował w Padwie, podobnie jak przed nim Mikołaj Kopernik i Jan Kochanowski; uprzejmy rektor tamtejszego sławnego uniwersytetu udostępnił mi nobliwe księgi, gdzie wpisani byli polscy studenci z ich pięknie namalowanymi herbami i wymienionymi powinnościami. Więc być może miasto zawdzięcza swoją wdzięczną „ksywkę" wspomnieniom Jana Zamoyskiego z czasów, kiedy nie tylko był w Padwie beztroskim studentem, ale jeszcze popełnił tam dzieło „O Senacie Rzymskim Księgi Dwie", po łacinie, która była wtedy *lingua franca,* jak dzisiaj angielski.

MIASTO IDEALNE

Wiemy dokładnie, kiedy i gdzie Jan Zamoyski zawarł umowę z Bernardo Morando na zaprojektowanie nowego, idealnego grodu w guście renesansu na terenie wsi Skokówka; stało się to 1 lipca 1578 r. we Lwowie, a już dwa lata później Zamość uzyskał status miasta. Najpierw powstały przybytki dla pana, czyli pałac i arsenał, a wkrótce dla Boga, a więc świątynia, ale jej budowa trwała aż do lat 30. XVII wieku. Jako że pałacu imały się klęski, zmieniał swój styl z każdą przebudową, od renesansowego przez barok po klasycystyczny, tak że dziś trudno uznać go za zabytek; jest już zresztą tylko skromnym pałacem prawa, czyli siedzibą sądów i notariatu. Ciekawe, że kolegiata p.w. Zmartwychwstania Pańskiego i św. Tomasza Apostoła, obecnie katedra, otrzymała wymiary dokładnie 15 razy mniejsze niż obszar miasta. Choć przebudowywana, zachowała sporo cech pierwotnego renesansu z charakterystycznym dla Lubelszczyzny sklepieniem kolebkowym na lunetach. W podziemnej krypcie znalazło wieczny spoczynek wielu Zamoyskich, także hetman wielki koronny.

Przejażdżka dorożką to jedna
z zamojskich atrakcji

poniżej
Ormiańskie kamienice
na zamojskim rynku

Mnie z dzieł Moranda najbardziej jednak urzeka ratusz, na-
dający – wraz z kamieniczkami – przepiękną formę zamojskiemu
rynkowi. Choć i on ulegał przebudowom (przydawano do renesansu a to elementy manierystyczne, a to barokowe i klasycystycz-
ne), wrócił w międzywojniu do pierwotnej postaci. No, wieża jest
znacznie wyższa, ma aż 54 metry i wraz z dobudowanymi w XVIII
wieku wachlarzowymi schodami decyduje o charakterystycznym
wyglądzie tego oryginalnego zabytku. Nieopodal – wspaniałe pie-
rzeje stylowych kamieniczek, z których dwie posiadał nobilitowany
przez hetmana Morando, pełniący funkcję nie tylko architekta, ale
i burmistrza Zamościa. Pięć szczególnie ozdobnych, manierystycz-
no-barokowych, kamienic po prawej stronie ratusza nazywa się
ormiańskimi. Tu bowiem pozwolono się osiedlić Ormianom, którym dbający o kupiecko-rzemieślniczy rozwój miasta Jan Zamoyski
przyznał już w 1585 r. przywileje gwarantujące im między innymi
wolność wyznania. Wkrótce podobne prawa otrzymali Żydzi. Żół-
ta kamienica nazywa się Pod Madonną, bowiem zdobi jej fasadę
Madonna z Dzieciątkiem depcząca smoka. Niebieska – Pod Mał-
żeństwem – otrzymała miano od płaskorzeźb mężczyzny i kobiety, poszukajcie ich pomiędzy oknami drugiego piętra i koniecznie
wstąpcie do tej kamienicy, bowiem znajduje się w niej ciekawe Muzeum Zamojskie, dużo w nim historii. Skoro jesteśmy przy kulturze
– polecam też wizytę w znajdującej się na przeciwnej pierzei Galerii
Zamojskiej, gdzie z kolei króluje sztuka współczesna.

TWIERDZA ZAMOJSKA

Hetman wielki koronny musiał posiadać w swoim grodzie odpowiednie fortyfikacje. Twierdza Zamojska, też dzieło Moranda, później modyfikowane, była zbudowana na planie siedmioboku, miała siedem bastionów i 2500 metrów obwodu. Oblegano ją pięć razy, tylko raz skutecznie. Najpierw stanęły przed nią wojska kozackie Bohdana Chmielnickiego i to spotkanie skończyło się patem, czyli zawarciem układu, na mocy którego wygłodniali obrońcy zapłacili najeźdźcom 20 tysięcy talarów okupu, w zamian za co Kozacy wycofali się, nie zdobywszy twierdzy.

Twierdza Zamość

W czasie potopu oblegali twierdzę Szwedzi, ale szybko zdali sobie sprawę, że im nie ulegnie, więc pomaszerowali dalej, a wieść o tym szybko obiegła kraj, wzmacniając ducha oporu.

W czasie wojny północnej twierdza nie została wprawdzie zdobyta, ale ją poddano, jako że sił obrońcom nie stało; była to jednak okupacja krótkotrwała.

W 1809 r. Zamość był w zaborze austriackim i wtedy to właśnie postanowiły go odbić polskie wojska księcia Józefa Poniatowskiego, a dowodził nimi gen. Ignacy Kamieński. Wspierali ich mieszkańcy miasta, paląc Austriakom zapasy żywności, donosząc o umocnieniach, strzelając do wroga. Polski szturm skończył się sukcesem, wzięto do niewoli 2500 jeńców. Najsławniejszym żołnierzem zwycięzców została Joanna Żubr, pierwsza kobieta odznaczona orderem Virtuti Militari. Sierżant Joanna wdarła się do twierdzy przez tajemną bramę i zdobyła armatę! Brała ponoć udział w 17 bitwach i oblężeniach.

Najdłużej opierała się twierdza wojskom rosyjskim podczas kampanii napoleońskiej. Gdyby nie szkorbut i nie głód... ale zjedzono już w Zamościu nie tylko konie, psy, koty, ale powiada się, że nawet wrony. Kiedy doszły wieści o klęsce Bonapartego – gen. Maurycy Hauke zadecydował o honorowym poddaniu, czyli można się było wycofać z bronią i całym ekwipunkiem.

Podczas powstania listopadowego twierdza też broniła się dzielnie i skapitulowała jako ostatnia. W 1866 r. kazał ją zlikwidować Aleksander II; miasto straciło wówczas mury i zaczęło się rozrastać, a z dawnych fortyfikacji zachowały się tylko fragmenty, które – choć użytkowane w celach pokojowych – przypominają o wojennej chwale miasta.

MARYSIEŃKA I POETA

Miasto to nie tylko zabytki, ale także, a może przede wszystkim, ludzie. Jednym z najsławniejszych w Zamościu był poeta Szymon Szymonowic, związany z założoną w 1594 r. przez kanclerza koronnego Akademią Zamojską. To światły Jan Zamoyski powie-

Jedna z kamieniczek ormiańskich na rynku

po prawej
Ratusz w Zamościu. Jego wieża ma 54 m wysokości

dział: *Takie są Rzeczypospolite, jakie ich młodzieży chowanie.* Akademia miała znamienitych profesorów, wśród nich Stanisława Staszica. W jej gmachu, któremu w XIX wieku nadano skromniejszą formę, mieści się dziś I Liceum Ogólnokształcące im. Hetmana Jana Zamoyskiego.

Z „Padwą Północy" łączy się także ważny fragment życia królowej Marysieńki, która przez siedem lat była żoną kolejnego Jana Zamoyskiego zwanego Sobiepanem; urodziła mu nawet czworo dzieci, z których żadne długo nie pożyło.

Nie był to romantyczny, a raczej, jak powiedzielibyśmy dzisiaj, „biznesowy" związek. Maria Kazimiera d'Arquien przybyła do Polski jako czteroletnia dziewczynka z królową Marią Ludwiką, a gdy stała się już panienką, poznała w Warszawie Jana Sobieskiego, skromnego wówczas szlachcica. Podobno pokochali się od pierwszego spojrzenia, ale królowa wybrała dla swej wychowanki najzamożniejszego kandydata w Rzeczypospolitej Obojga Narodów, właśnie Sobiepana Zamoyskiego, właściciela kilku miast i ponad stu wsi. Marysieńka miała wówczas siedemnaście lat, narzeczony był o piętnaście lat starszy. Sobiepan uwielbiał – jak mówią przekazy – hulanki i kobiety, miał ponoć chorobę weneryczną, no i zaniedbywał żonę. Zaledwie miesiąc po jego wczesnej śmierci wdowa wzięła potajemny ślub z Sobieskim, wkrótce potwierdzony oficjalnym weselem. Był to związek szczęśliwy, miało być jego owocem aż siedemnaścioro dzieci, ale dożyło dorosłości ledwie czworo, co nie było w tamtych czasach niczym nadzwyczajnym. Jako że Sobiepan nie miał potomstwa – Zamość przeszedł w ręce krewnych, też Zamoyskich.

W czasach niezbyt nam odległych był z Zamościem związany mój ulubiony poeta Bolesław Leśmian. Ponieważ z poezji wyżyć się nie dało, przez trzynaście lat prowadził w Zamościu notariat. Z tych lat trzynastu osiem spędził na zwolnieniu lekarskim, albowiem praca prawnika bezmiernie go nudziła. Mieszkał w kamienicy zwanej Centralką, odległej od miejsca pracy raptem 300 metrów, ale nie chodził tam pieszo, tylko jeździł. Jako że był niski (155 cm) i szczupły, anegdota zamojska powiada, że przed biuro zajeżdżała pusta dorożka i... wysiadał z niej Leśmian. Opowiadano mi też, że był bardzo dobrym człowiekiem, codziennie fundował swoim pracownikom obfite śniadanie, a na święta dawał im podwójne pensje, ale przesadne zaufanie doprowadziło do tego, że zastępca okradł go na znaczną sumę, którą musiał z trudem zwracać. Dla ukochanych kobiet pisał przepiękne erotyki. Zamość go wdzięcznie pamięta, organizując co dwa lata wystawy dedykowane mu duchowo dzieł współczesnej sztuki.

Jest więc wiele powodów, by pojechać do tego wyjątkowego miasta.

CHEŁM
MIASTO NA KREDZIE

Czyhający na turystów w podziemiach kredowych duch Bieluch jest ponoć wcieleniem niedźwiedzia z herbu Chełma

po prawej
Architektem bazyliki Narodzenia NMP był Paweł Fontana

Widziałam w Polsce i na świecie wiele miast, które miały podziemia, ale nigdzie nie były one tak osobliwe, jedyne w swoim rodzaju, obrosłe legendami, ale przede wszystkim fascynującą historią, jak właśnie w tym wielce ciekawym – nie tylko z powodu podziemnych tuneli – grodzie na Lubelszczyźnie.

ZACZNIJMY OD KREDY

Kiedy jedzie się do Chełma, gdy pola są zaorane, bez roślinności, to im bliżej do miasta, tym bardziej ich bruzdy wydają się być posypane jakby białym proszkiem. Sądziłam, że to nawóz, może wapno, ale okazało się, że właśnie kreda. Powstała miliony lat temu ze szkieletów głowonogów, kiedy i tu, tak jak w całej Polsce, płynęło morze, a na jego dnie zbierały się osady.

Chełm zbudowany jest na kredzie – tej, której używa się w farmacji, farbiarstwie, kosmetyce, przemyśle gumowym, ale przede wszystkim do pisania. Wysyłano ją ponoć w tym celu już w średniowieczu do Akademii Krakowskiej, bo była najlepsza w Polsce, ba, w całej nawet Europie. Wydobywano ją tu od XIII wieku, najwięcej jednak od XVI do XVIII stulecia. Na początku XX wieku zakazano wydobycia, bo zagrażało bezpieczeństwu mieszkańców miasta.

Nie było w Chełmie jednej, dużej kopalni, każdy posiadał własną. Najpierw była to osobista, stale powiększana piwnica tuż pod domem, do której schodziło się po schodach albo po drabinie. Potem zaczęto drążyć prowadzące od niej tunele, które połączyły się w końcu, tworząc sieć liczącą według jednych 15 kilometrów, według innych – aż 40. Te podziemne korytarze biegły na kilku, bywało, że aż pięciu, poziomach. Służyły nie tylko do wydobywania kredy, ale w razie potrzeby były bezpiecznym schronieniem. Ponieważ w czasie wojny chowali się w nich Żydzi, Niemcy kazali je zamknąć. Z czasem, tam gdzie nadmiernie eksploatowane stropy się zapadały, tworzyły się duże komory. Pękały ściany pobliskich domów, przechylały się latarnie, drgały jezdnie, a w roku 1965 zapadł się pod ziemię fragment ulicy Lubelskiej wraz z budynkiem. Pięć lat później wpadła do komory przejeżdżająca ulicą ciężarówka...

Tunele zamknięto, ale na szczęście miasto doszło do wniosku, że mogą one stanowić po zabezpieczeniu nie lada turystyczną

atrakcję. Górnicy ze Śląska niektóre korytarze zasypali, inne umocnili i w połowie lat 70. dwukilometrowy szlak podziemny udostępniono zwiedzającym. Byłam tam dwa razy, oczywiście z przewodnikiem i w hełmie na głowie. Tunele są nie tylko ciekawe – po drodze ogląda się wystawy związane z historią chełmskiej kredy i miasta – ale przede wszystkim piękne: ich obłe, białe ściany tworzą dzięki dyskretnemu oświetleniu magiczne przestrzenie. To przestrzenne rzeźby. A to tego – jakże by inaczej – wyłania się z ciemności duch Bieluch, ponoć wcielenie widniejącego na herbie Chełma niedźwiedzia. Oczywiście, że jest straszny, okropnie się bałam (!), ale także gadatliwy, bywa nawet dowcipny i jeżeli jest w dobrym nastroju, może wiele ciekawego o chełmskich podziemiach opowiedzieć, tyle tu przecież przez wieki widział, zna wszystkie tajemnice. Dobra rada: ubierzcie się ciepło, bo panuje tu stała temperatura 9°C. I uważajcie na nietoperze.

Cerkiew św. Jana Teologa

po lewej
Ołtarz główny w bazylice Narodzenia NMP

poniżej
Antependium w bazylice Narodzenia NMP wykonane dla uczczenia setnej rocznicy bitwy pod Beresteczkiem ze srebrnych wotów składanych przy cudownym obrazie Bogurodzicy

MIASTO WIELU KULTUR

Chełm najpierw należał do Lachów, potem do Rusinów (do Rusi Kijowskiej) przez krótki okres był nawet czeski, aż wreszcie Kazimierz Wielki włączył go na stałe do ziem polskich. Wcześniej, w 1238 r., przeniósł się tu z Włodzimierza prawnuk Bolesława Krzywoustego, wspomniany już książę Daniel Romanowicz Halicki, i uczynił Chełm stolicą niezależnego od Kijowa księstwa halickiego. Ciekawe, że tenże Daniel (zwany też Rurykowiczem) koronował się

Z tej XIX-wiecznej wieży roztacza się wspaniały widok na miasto

po prawej
Fasada kościoła pijarów p.w. Rozesłania św. Apostołów

w Drohiczynie, ale rezydencję miał w Chełmie, gdzie wybudował zamek, kilka cerkwi i otoczył miasto murami. Historia była dla tych przedsięwzięć niełaskawa, dopiero niedawno podjęto na Chełmskiej Górce prace archeologiczne, dzięki którym mogłam zobaczyć resztki zamkowych murów z zielonego kamienia zwanego glaukonitem, pozostałości wieży i murów obszernego dziedzińca. Książę wzniósł nieopodal zamku cerkiew, na której miejscu powstał późniejszy kościół Narodzenia NMP, dziś bazylika mniejsza. Widać ją wspaniale z XIX-wiecznej wieży na tle rozległego krajobrazu Ziemi Chełmskiej. Tak jak i ta ziemia, przechodziła ona różne dzieje, będąc cerkwią prawosławną, potem unicką, wreszcie świątynią katolicką, której barokową formę zaprojektował Paweł Fontana, naczelny architekt Sanguszków.

Chełm był przez wieki miastem wieloetnicznym i wielowyznaniowym. Oprócz prawosławnych, unitów i katolików osiedlili się w nim Żydzi, którzy w przeddzień II wojny światowej stanowili 44 procent mieszkańców, a pierwsza o nich wzmianka sięga aż 1206 r. Mieli tu swoje synagogi, domy modlitwy, chedery, cmentarze, stąd wywodzili się sławni rabini. Żydzi z Chełma stali się bohaterami utworów Isaaka Bashevisa Singera, który pisał:

Ci, którzy opuszczają Chełm, zakończą wędrówkę w Chełmie,
ci, którzy zostają w Chełmie, są już tam na pewno.
Wszystkie drogi prowadzą do Chełma,
gdyż cały świat to jeden wielki Chełm.

Żydzi chełmscy słynęli ponoć ze specyficznych dowcipów, a przynajmniej im się je przypisuje. Niestety, większość ich populacji Niemcy wymordowali, głównie w Sobiborze.

SZCZĘŚCIE DO ARTYSTÓW

Jeżdżę do Chełma, bo tam jest zawsze co zobaczyć i co powspominać, a ludzie są mili, ciepli – jak to na wschodzie, przypomnę, bo sama z podlaskiego orientu się wywodzę. Z XV-wiecznego ratusza pozostały wprawdzie zaledwie ślady, ale rynek chełmski bardzo ładny, rozległy, jest gdzie usiąść i na co popatrzeć. W perspektywie ujawnia się malownicza bizantyńsko-klasycystyczna cerkiew prawosławna p.w. św. Jana Teologa z XIX wieku, niegdyś jedna z wielu w mieście, ale po uzyskaniu niepodległości tamte inne zostały zburzone jako symbol rozbiorowego zniewolenia. Przetrwała też cerkiew św. Mikołaja, ale mieści się w niej obecnie sala koncertowa i oddział Muzeum Ziemi Chełmskiej. Ze Starej Synagogi nic nie pozostało, w Małej – zjadłam smaczny obiad, gdyż ulokowała się w niej restauracja „Browarek"; niby niewłaściwie, jednak jej wła-

ściciele uratowali w ten sposób miejsce od ruiny. Także część katolickich budowli zmieniła przeznaczenie, na przykład w klasztorze oo. bazylianów są dziś mieszkania prywatne.

Kościołów zachowało się kilka, głównie barokowe, mające na ogół o wiele starszą, choć nieistotną już metrykę. XVIII-wieczny wygląd świątyń p.w. św. Andrzeja i Rozesłania św. Apostołów, czyli pijarów, zapewnił znowu Paweł Fontana przy wykonawczej współpracy Tomasza Rezlera. Warto wiedzieć, że drewniany poprzednik tego ostatniego kościoła został ufundowany przez Władysława Jagiełłę na cześć zwycięstwa pod Grunwaldem, jako że w bitwie z Krzyżakami brała dzielnie udział 16 Chorągiew Ziemi Chełmskiej pod sztandarem z białym niedźwiedziem na czerwonym tle, tym samym, co we współczesnym herbie miasta się ostał. Wstępuję często do tego kościoła, bowiem tuż obok, w dawnym kolegium pijarów znajduje się Muzeum Ziemi Chełmskiej z Galerią 72, jedną z najambitniejszych galerii sztuki współczesnej w kraju. Założył ją w 1972 r. znany artysta Kajetan Sosnowski, urodzony w Chełmie i promujący odważnie tu, na prowincji, sztukę awangardową. Zainaugurowała Galerię wystawa świetnego malarza (i miło mi, że mojego przyjaciela) Jana Dobkowskiego, którego ekspozycją uczczono także huczne 40-lecie Galerii. Przez wiele lat zajmowała się Galerią znana krytyk sztuki Bożena Kowalska, dająca w zbiorach i ekspozycjach przewagę abstrakcji geometrycznej, choć istniał tu także nurt metaforyczny. Od 2001 r. jej kustoszem jest Jagoda Barczyńska, która już dwa razy zorganizowała w Chełmie wystawę moich fotografii.

po lewej
Wnętrze kościoła pijarów p.w. Rozesłania św. Apostołów

poniżej
Panorama rynku w Chełmie

SANDOMIERZ
MIASTO NA SIEDMIU WZGÓRZACH

Rzeźba przedstawiająca
Wincentego Kadłubka

po prawej
Brama Opatowska
w Sandomierzu

Rozciąga się malowniczo na siedmiu wzgórzach – podobnie jak Rzym. Ale nie tylko to łączy Sandomierz ze stolicą Włoch. Tak jak nad Tybrem, w mieście zachwyca obfitość wspaniałych zabytków z różnych epok.

Związków z Rzymem jest więcej. Chociażby fakt, że znaleziono tu, w grobie konnego wojownika, wyroby pochodzenia rzymskiego. Już w prehistorycznych dla nas wiekach musiały więc istnieć kontakty sandomierskiej ziemi z Rzymem. Jeśli zaś chodzi o nazwę – są dwie hipotezy: według jednej wywodzi się od imienia rycerza Sędomira, podczas gdy druga powiada, że zadecydował fakt, iż w tym właśnie grodzie San domierza do Wisły (przebywszy 445 kilometrów od źródeł). Dalej razem już wędrują do morza.

MAŁE ATENY

Można by też nazwać Sandomierz „małymi Atenami". Od najdawniejszych wieków było to bowiem miasto dziejopisarzy, filozofów, poetów, ludzi wszelkich sztuk. Już w XII wieku bł. Wincenty Kadłubek (1150-1223), patron diecezji sandomierskiej, autor „Kroniki polskiej", założył tu szkołę o wielkiej renomie, z której wywodzili się wysocy rangą urzędnicy książęcy i biskupi. Kanonikiem sandomierskim był Jan Długosz (1415-1480), który w 1476 r. ufundował tu rozległy, pięknie ulokowany na nadwiślańskiej skarpie późnogotycki dom, zwany Domem Długosza, mieszczący dziś Muzeum Diecezjalne. Można w nim obejrzeć znakomity obraz Łukasza Cranacha Starszego „Madonna z Dzieciątkiem i św. Katarzyną", a także – ciekawostka! – rękawiczki królowej Jadwigi, ofiarowane przez nią mieszkańcom wsi Świątniki za uratowanie podczas zawiei śnieżnej, kiedy to kareta władczyni zbłądziła w drodze z Sandomierza do Krakowa.

WIELCY TEGO MIASTA

Mnie, melomance, szczególnie bliski jest sandomierzanin Mikołaj Gomółka (1535-1591), znakomity kompozytor i instrumentalista polskiego renesansu, twórca muzyki do 150 psalmów według Jana Kochanowskiego. Urodził się i przez pewien czas mieszkał w Sandomierzu, pełnił tu funkcję ławnika, a potem nawet zastęp-

cy wójta miejskiego. Współczesny mu był kanonik sandomierski
Marcin z Urzędowa (1500-1573), profesor Akademii Krakowskiej,
lekarz i botanik, autor dzieła „Herbarz polski, to jest o przyrodze-
niu ziół i drzew rozmaitych (...) księgi dwoje". Sebastian Petrycy
(1554-1626), sławny lekarz, ale i filozof, komentator pism Ary-
stotelesa, też wykładał na krakowskiej *Alma Mater*. Warto również
wspomnieć Jerzego Ossolińskiego (1595-1650), dyplomatę i pa-
miętnikarza, który był związany z Sandomierzem, podobnie jak Jan
Andrzej Morsztyn (1621-1693), mistrz pięknych wierszy dworskich
i erotycznych.

Wszystkich zasłużonych dla Sandomierza nie sposób wymie-
nić, przeskoczę więc tylko bliżej współczesności, by przypomnieć,
że mieszkali tu przez pewien czas Jarosław Iwaszkiewicz i Wiesław
Myśliwski, malowali Leon Wyczółkowski, Stanisław Kamocki, Stanisław Czajkowski, Maria Anto, a jeszcze dzisiaj tworzy tu na plene-
rach wspaniałe obrazy moja przyjaciółka Barbara Szubińska.

Wnętrze sandomierskiej katedry

po lewej
Ratusz w Sandomierzu.
Jego renesansowy kształt
jest przypisywany Janowi
Marii Padovano

„MAŁY WAWEL"

Tyle o ludziach, a teraz o mieście, którego obszar zaludniony był
już w neolicie. Prawa miejskie Sandomierz otrzymał jednak dopiero
w XIII wieku, i to dwa razy, gdyż wojska tureckie złupiły i zniszczyły
miasto tak dokładnie, że w roku 1286 trzeba było je lokować na
nowo. Miało się jednak z czego odbudować – bogaciło się nieźle na
spławianiu Wisłą do Gdańska zboża i drewna, leżało bowiem na
ważnym szlaku handlowym. Warto też pamiętać, że w okresie roz-
bicia dzielnicowego było stolicą Księstwa Sandomierskiego i przez

poniżej
Po prawej ceglany Dom Długosza

Prospekt organowy
w sandomierskiej katedrze

poniżej
Zamek w Sandomierzu

wiele wieków, właściwie do dzisiaj, najważniejszym po Krakowie miastem Małopolski.

Był też Sandomierz grodem sławnym z tolerancji. W 1570 r. odbył się tu synod generalny – szukali na nim porozumienia luteranie, kalwini i bracia czescy – zwany Zgodą Sandomierską, najstarsze ponoć ekumeniczne spotkanie w Europie.

W tym samym czasie Santi Gucci, wybitny architekt i rzeźbiarz pochodzenia włoskiego, który nadał renesansową postać Wawelowi, przebudowywał także w takim samym guście malowniczo położony zamek w Sandomierzu; nic dziwnego zatem, że postrzegano go jako „mały Wawel". Ta zacna budowla jest jednak znacznie starsza, ufundował ją bowiem Kazimierz Wielki, podobnie jak mury i cztery sandomierskie bramy, z których zachowała się ledwie Opatowska.

Zamek przeżył jednak gorzkie czasy, zwłaszcza w czasie potopu: w roku 1656 budowlę zajęli Szwedzi, a że nie mogli jej utrzymać – założyli w niej ładunki wybuchowe i podpalili okoliczne krzaki, aby się wycofać pod osłoną dymu. I tak wojska Stefana Czarnieckiego mogły zająć zamek bez bitwy, ale cóż z tego, skoro – gdy wtargnęły do wnętrza – wybuchł z opóźnieniem proch, zabijając dwa tysiące żołnierzy. Według legendy uratował się jedynie rycerz Bobola, którego podmuch eksplozji przeniósł wraz z koniem przez Wisłę!

Kolegium jezuickie w Sandomierzu

DUMA I SPLENDOR

Dziś na zamku mieści się jeden z oddziałów Muzeum Okręgowego, a że zbiory ma bardzo ciekawe (między innymi najstarsze w Europie szachy) – trzeba je koniecznie odwiedzić.

Drugi oddział muzeum urządzono w ratuszu, który rozsiadł się – jak przystało – na środku rozległego, pochyłego tutaj rynku, dumnie, bo ma ku temu powody jako jedna z najpiękniejszych siedzib władz miejskich w kraju. Zrazu gotycki, szczyci się renesansową attyką z XVI wieku, ale jego wieża jest o stulecie młodsza, zegar słoneczny zaś to dzieło Tadeusza Przypkowskiego z 1958 r. Zdarza się, że w pobliżu można spotkać członków bractwa rycerskiego oraz piękne sandomierskie mieszczki w historycznych strojach, doskonałe towarzystwo do pamiątkowych zdjęć.

Wokół rynku ładne stare kamienice, a nieopodal – wspaniała katedra ufundowana przez kogóż by, jak nie przez twórcę Polski murowanej, Kazimierza Wielkiego, na miejscu dawnej budowli romańskiej (a ta z kolei zastąpiła drewnianą, pochodzącą z X wieku). Do katedry warto wstąpić, bo wystrój ma przepiękny, stwarzający wyjątkową atmosferę. W prezbiterium – oryginalne freski rusko--bizantyńskie, ufundowane w połowie XV wieku przez Władysława Jagiełłę, podobnie jak polichromie w kaplicy zamkowej w Lublinie, kaplicy Świętokrzyskiej na Wawelu i w kolegiacie wiślickiej. Odrestaurowane, wyraziście przedstawiają sceny z życia Chrystusa i Marii. Na ścianach naw – oryginalny kalendarz w postaci dwunastu dużych obrazów nawiązujących do świętych ważnych w danym miesiącu. Namalował je w pierwszej połowie XVIII wieku Karol de Prevot (a także cztery płótna ilustrujące ważne momenty w dziejach miasta, w tym wspomniane wysadzenie zamku przez Szwedów w 1656 r.). Autorem późnobarokowego ołtarza głównego z czarnego marmuru jest Franciszek Placidi, rokokowych rzeźb zaś – świetny lwowski artysta Maciej Polejowski. Co jakiś czas opowiada o tym przewodnik, zwracając baczną uwagę, by nie robić zdjęć z fleszem. Uprzedzam ze zrozumieniem.

Polichromia w sandomierskiej katedrze ufundowana przez Władysława Jagiełłę

po prawej
Wnętrze katedry

poniżej
Widok na Sandomierz od strony Wisły

SPRYTNA HALINA

Kościołów, i to ciekawych, jest w Sandomierzu kilka, ale polecam Wam szczególnie świątynię pod wezwaniem św. Jakuba, najstarszą w mieście, wybudowaną wraz z klasztorem dominikanów w 1226 r. na obrzeżach wąwozu Piszczele. Skąd taka nazwa? Ano, powiadają jedni, że tu właśnie znaleziono kości 49 dominikańskich męczenników zamordowanych przez Tatarów w 1260 r., podczas gdy inna legenda zapewnia, że były to kości tatarskie. Oto bowiem młoda dama, Halina Krępianka, która straciła rodzinę podczas wcześniejszego najazdu tatarskiego, postanowiła się zemścić, gdy wrogowie napadli miasto po raz drugi. Chytrze pokazała najeźdźcom (tajne jakoby) podziemne przejście, a gdy ci się w nim znaleźli – zasypała otwór i pozostały po nich jedynie piszczele. Co byśmy wiedzieli bez legend, skoro historia nie wszystko potrafi wyjaśnić, a przynajmniej nie tak ciekawie!

DUCHY POD ZIEMIĄ

Kościół dominikanów to rzadko spotykana budowla romańska z cegły, ozdobiona ciekawym fryzem z jasnej glazury. Ceramiczna cegła znajduje się też w unikatowym romańskim portalu z kolumienkami zwieńczonymi kamiennymi głowami fundatorów. We wnętrzu – nagrobki z różnych epok, w prezbiterium – ekspresyjny krzyż z XVI wieku i fragmenty poliptyku datowanego na rok 1599. Zwróćcie jeszcze uwagę na stare lipy przykościelnego cmentarza, które swoje gęste korony zawdzięczają św. Jackowi, posadził je bowiem – znowu powiada legenda – korzeniami do góry.

Na zakończenie wizyty w Sandomierzu powinno się odbyć wycieczkę podziemną trasą turystyczną, utworzoną z połączenia piwnic pod ośmioma kamienicami. Trasa liczy 470 metrów, ma 34 komory, pod rynkiem przebiega najgłębiej, bo 12 metrów pod ziemią. Dla urozmaicenia wyprawy można sobie zamówić różne duchy: kata, Tatarów, a nawet Haliny Krępianki. Życzę pięknych wspomnień.

JEDŹ NA
PONIDZIE

Kraina jakby zapomniana, ale jakże piękna i ciekawa, pełna wspaniałych zabytków i urokliwych nad Nidą krajobrazów. Obfituje też w wody lecznicze. Warto się tam więc wyprawić dla ducha i dla ciała. Polecam.

Koleją do Jędrzejowa, stamtąd ciuchcią do Pińczowa, a dalej – jak się da, najlepiej oczywiście mieć własny samochód, bo on najsprawniej umożliwi nam zwiedzenie wielu miejsc na Ponidziu, chociaż na autobusy też można tu liczyć.

U WRÓT PIEKIELNYCH WÓD

Ponidzie – kraina nieznana. Wiedzą o niej przede wszystkim ci, którzy przyjeżdżają – tak jak ja – leczyć swoje „rusztowanie" w Busku-Zdroju i Solcu (też Zdroju). Dla mnie jednak pobyt w Busku związany jest nie tylko z rehabilitacją, ale i ze zwiedzaniem niezwykle ciekawego regionu Ponidzia.

Dwa miasta ubiegają się o miano stolicy regionu: Pińczów i Busko-Zdrój. Oba są dzisiaj miastami powiatowymi, ich dzieje sięgają XII wieku. Pierwsze słynie głównie z zabytków i historii, drugie – to najbardziej chyba w Polsce oblężony kurort sanatoryjny, także z zapleczem wieków.

GDZIE REJ KOCHANOWSKIEGO USŁYSZAŁ

Pińczów zawdzięcza swoją niegdysiejszą świetność przede wszystkim dwóm znakomitym rodom: Oleśnickim i Myszkowskim. Ci ostatni uzyskali w końcu XVI wieku adopcję książąt Gonzagów z Mantui i zaczęli się odtąd mianować Gonzagowie-Myszkowscy.

Oleśniccy zaś to wybitni mężowie Kościoła i mężowie stanu. Za czasów Mikołaja Oleśnickiego stał się Pińczów znakomitym ośrodkiem intelektualnym i reformatorskim. Tu działało sławne na całą Europę gimnazjum protestanckie, tu arianie posiadali swoją drukarnię, ponadto odbyły się w mieście aż 22 synody różnowiercze. Na jednym z nich Mikołaj Rej miał ponoć usłyszeć deklamowany tu po raz pierwszy wiersz „Czego chcesz od nas, Panie, za Twe hojne dary?" i stwierdzić, że Jan Kochanowski to najprzedniejszy w kraju poeta.

Konie ze stadniny w Michałowie

po prawej
Zakola Nidy

Nagrobek Firlejów w kaplicy kościoła św. Mikołaja w Bejscach

poniżej
Kopuła kaplicy Firlejów w Bejscach

Kiedy nastali Myszkowscy – przywrócili katolicyzm, a choć w dawnym gimnazjum przyjęto program szkółki parafialnej, to z czasem stworzono świetną szkołę pod opieką Akademii Krakowskiej, w której kształcił się Hugo Kołłątaj. W Pińczowie osiedlili się Żydzi, którzy przyczynili się do rozwoju miasta; pozostała z owych czasów synagoga z ciekawymi malowidłami. Rozwinęły się kamieniołomy, z których wydobywano sławny kamień pińczowski, stosowany nie tylko w budownictwie, ale także w rzeźbie, której był tu znamienity warsztat.

W PIŃCZOWIE DNIEJE

Najciekawszym w Pińczowie zabytkiem jest były kościół oo. paulinów (teraz fara), których Oleśniccy stąd wyrzucili, a Myszkowscy przywrócili. Metrykę ma gotycką, ale obecną formę nadano mu we wczesnym baroku, kiedy to powstała nie tylko godna fasada, ale też imponujące stalle oraz sklepienia naw i prezbiterium z przepiękną, manierystyczną dekoracją stiukową.

Podobną dekorację można podziwiać w renesansowym kościele reformatów (też godnym wizyty). Z czasów renesansu zachował się również piękny dom, w którym mieściła się ponoć drukarnia ariańska. Warto też wspiąć się przy ładnej pogodzie na wzgórze z królującą nad miastem kaplicą św. Anny. Na pewno znacie powiedzenie: „W Pińczowie dnieje", ale mało kto zna jego pochodzenie. Otóż ma

ono związek ze wspominanym wzgórzem, zasłaniającym słońce, które wstaje przez to w Pińczowie później niż gdziekolwiek. Dlatego też przytoczone powiedzenie odnosi się do podobnie spóźnionych nowin i poczynań.

I KRÓLOWIE TU BYWALI

Nowy Korczyn to dzisiaj gminne miasteczko, ale jego przeszłość oszałamia. Kazimierz Wielki wybudował tu wspaniały zamek, co prawda po innej stronie Nidy niż miasto, ale często w owym zamku przebywał – podobnie jak później Władysław Jagiełło. Zaowocowało to rozwojem grodu, trzeba było bowiem dostarczać dworowi i odpowiedniej żywności, i trunków, wśród których królowało miejscowe piwo. Ustanowiono też Nowy Korczyn siedzibą sejmiku małopolskiego, który się tu zbierał co dwa lata.

Zamek, niestety, zniszczyli Szwedzi, potem wojska Rakoczego, a w XVIII wieku został on rozebrany. Ale miasto szczyci się przemarszem wojska naczelnika Kościuszki i pobytem legionów Józefa Piłsudskiego, który mieszkał przy ulicy noszącej dziś oczywiście jego imię.

O bogatej przeszłości Nowego Korczyna najlepiej świadczą zabytki, w tym dwa najświetniejsze: kościół farny i pofranciszkański. Ten ostatni, wraz z klasztorem, ufundowali Bolesław Wstydliwy

Fragment gotyckich polichromii w kościele św. Mikołaja w Bejscach

na górze
Gotyckie polichromie w kościele św. Mikołaja w Bejscach

Późnobarokowa fasada kościoła p.w. św. Ducha i Matki Boskiej Bolesnej w Młodzawach

poniżej
Barokowe figury przydrożne w Młodzawach

z żoną Kingą w 1257 r., jest on zatem gotycki, chociaż później zbarokizowany. Właśnie w okresie baroku powstała jego wspaniała polichromia (koło łuku tęczowego z figurami Ukrzyżowania dopatrzyć się można też śladów wcześniejszej polichromii, pochodzącej z XIII wieku). Sklepienia, ołtarze, stalle i ambona tworzą wraz z malowidłami wyjątkowo spójną całość, którą chłoniemy jako niezwykłe dzieło sztuki.

Kościół farny jest późniejszy, bo XVI-wieczny; rozbudowany w następnym stuleciu, otrzymał ciekawą manierystyczną fasadę i portal. Do jego bryły przylegają dwa arkadowe ogrójce i kaplice boczne; wewnątrz kościół olśniewa przebogatą stiukową dekoracją sklepień. Stalle z malowanymi zapleckami, ołtarze, ambona, konfesjonały, chrzcielnica – wszystko barokowe, tylko fragment tryptyku w kaplicy św. Jana Kantego – późnogotycki. Razem – skłaniająca ku kontemplacji harmonia. Musiała być kiedyś Polska bogata, skoro było ją stać na takie dzieła!

ARCYDZIEŁO JAKICH MAŁO

Bejsce to niewielka wieś gmina, a w niej gotycki kościół z manierystycznym arcydziełem rodem z kamieniarskiego warsztatu pińczowskiego: kaplicą Firlejów z końca XVI wieku. Przekrywa ją bogato zdobiona kopuła z wysmakowaną latarnią. W niesłychanie bogato dekorowanym nagrobku Mikołaj Firlej i jego żona Elżbieta klęczą po obu stronach krzyża, a strzegą ich jak gdyby fantastyczne zwierzęta wyobrażone na bordiurach. Naprzeciw nagrobka – ołtarz w podobnej stylistyce z centralnym wyobrażeniem Wniebowzięcia Matki Bożej.

Może tylko w kaplicy Zygmuntowskiej na Wawelu widziałam dzieła tej miary, co kaplica Firlejów. Ale to nie wszystko o kościele św. Mikołaja w Bejscach. Zachwyciły mnie tu gotyckie polichromie z XIV wieku. Nie będę opisywała tych monumentalnych scen – jedźcie i sami zobaczcie. Dodam tylko, że na Ponidziu znajduje się jeszcze wiele ciekawych miejsc – zabytki, parki krajobrazowe, stworzone przez pasjonatów ogrody, a przede wszystkim, jakże interesujący Jędrzejów.

JĘDRZEJÓW – MIASTO CYSTERSÓW I NIE TYLKO

Nie można ominąć Jędrzejowa będąc na Ponidziu, a nawet warto pojechać tam specjalnie. Na pewno. Najpierw, we wczesnym średniowieczu była to osada Brzeźnica nad rzeczką o tej samej nazwie (zachowała ją do dzisiaj). Obecne miano – od św. Andrzeja – miasto zawdzięcza cystersom, którzy po raz pierwszy zostali sprowadzeni z francuskiego Marimond właśnie do Jędrzejowa i przyczynili się do jego rozkwitu rozwijając górnictwo, hutnictwo i hodowlę, budując młyny i spichrze. Ale to, co po nich przetrwało – to przede wszystkim kościół i klasztor. Ich metryka sięga początków XII wieku, ale ulegały z czasem przebudowom i w archiopactwie – tak się dzisiaj nazywa – w Jędrzejowie niewiele pozostało fragmentów romańskich, a nawet gotyckich. Zwłaszcza fasadę i wystrój wnętrza

Przepiękne organy w kościele pocysterskim, Jędrzejów

na górze
Kościół pocysterski w Jędrzejowie

Kościół franciszkanów
w Nowym Korczynie

po prawej
Prezbiterium kościoła
w Jędrzejowie, z przepięknymi,
barokowymi stallami

następne strony
Widok Pińczowa z motolotni

poniżej
Nowy Korczyn. Kościół parafialny
p.w. Trójcy Świętej

zdominował barok. Ale jaki! Najbardziej mnie zachwyciło dzieło organmistrza Józefa Sitarskiego – XVIII-wieczne niebiesko-złote organy o przepięknym dźwięku, a do tego ozdobione niesamowicie bogatą snycerką z figurami o wyszukanych pozycjach. W prezbiterium też popisali się snycerze, tworząc wyrafinowane stalle.

Niegdyś kościół klasztorny był pod wezwaniem Najświętszej Marii Panny, jak wszystkie cysterskie, z czasem jednak zaczął mu patronować bł. Wincenty Kadłubek. I nic w tym dziwnego, bowiem autor „Kroniki polskiej", którą napisał ponoć właśnie w jędrzejowskim klasztorze, spędził tu ostatnie pięć lat życia, rezygnując z biskupstwa krakowskiego na rzecz mniszego żywota. Tu został pochowany, ale z czasem jego szczątki przeniesiono na Wawel. W Jędrzejowie ma jednak własną kaplicę, a w niej złożone relikwie, jedne z wielu, bo trafiły aż do 40 miast. Jest patronem Jędrzejowa.

Ale Jędrzejów to nie tylko cystersi. Znajduje się tu jedno z najwspanialszych w świecie (!) muzeum zegarów, przede wszystkim słonecznych, które zaczął zbierać Feliks Przypkowski, także pasjonat astronomii. Jego dzieło kontynuował syn Tadeusz, twórca między innymi zegarów słonecznych na kościele Mariackim w Krakowie, na ratuszu w Sandomierzu, na Zapiecku w Warszawie. Obecnie dyrektorem Muzeum im. Przypkowskich jest Piotr Przypkowski. W 1962 r. rodzina przekazała swoje bezcenne zbiory państwu. Naprawdę warto je obejrzeć.

PORA NA
WIŚLICĘ

Wczesnogotycka płaskorzeźba
Matka Boża Łokietkowa

po prawej
Freski rusko-bizantyńskie w
prezbiterium kolegiaty ufundował
Władysław Jagiełło

Najwyższa pora. Jeśli nie zadbamy szybko o nasze zabytki, jedne z najwspanialszych w Polsce – nic już ich nie uratuje, będzie za późno. Tak mi powiedział ks. Wiesław Stępień, proboszcz wiślickiej kolegiaty, którą odwiedzam, ilekroć jestem na Ponidziu, ma w sobie bowiem wyjątkową magię. I fascynującą historię.

MIASTO KRÓLEWSKIE

Nawet legend nie potrzeba – choć dzieje Wiślicy w nie obfitują – aby historia tego miasta, które otrzymało prawa już w pierwszej połowie XIV wieku, była tak ciekawa. Przede wszystkim jest pełna zagadek. Wiadomo, że dzisiejsza mało komu znana wieś, licząca niespełna 700 mieszkańców, była niegdyś ważnym grodem królewskim, największym w Małopolsce obok Krakowa i Sandomierza, a za czasów Kazimierza Sprawiedliwego znajdowała się tu nawet siedziba jego dworu. Odbywały się w Wiślicy zjazdy rycerstwa i szlachty, a z okien kolegiaty ogłoszono w roku 1347 sławne statuty wiślickie kodyfikujące polskie prawo. Do XVI wieku często bywali tu królowie. To wiadomo. Ale, sięgnąwszy w przeszłość, czy była przed powstaniem państwa polskiego stolicą Wiślan? Nie wiadomo. Nie jest też zupełnie pewne, z którego wieku pochodzą jej najstarsze zabytki. Powiada się, że relikty kościoła św. Mikołaja, zabezpieczone dziś w paskudnym pawilonie, mogą być datowane aż na wiek IX, a misa chrzcielna, która się znajduje przy północnej ścianie, byłaby wówczas dowodem, że już sto lat przed chrztem Mieszka I dokonywano w Wiślicy aktów konwersji, i to zbiorowych, misa bowiem, choć płytka – jest spora, mogąca pomieścić nawet kilkanaście osób, które święcił jakoby stojący u jej wezgłowia kapłan. Kto wie, gdyby trochę przesunąć w górę datowanie, może to był sam Metody? Ależ skąd – denerwują się sceptycy – to nie żadna misa, tylko dół służący do mieszania wapna podczas budowy świątyni. Są też tacy, którzy zakładają, iż misę sporządzili sami archeolodzy, którzy w 1958 roku prowadzili badania w Wiślicy i dokonali rzeczywiście bardzo ważnych odkryć. A pozostałości kościoła, jak i tajemniczych kobiecych pochówków w jego grobowej kaplicy, są pewnie późniejsze o sto, a może i o dwieście lat.

Fragment drzwi z XV w. w kolegiacie Narodzenia NMP

W podziemiach dzisiejszej kolegiaty urządzono rezerwat archeologiczny, w którym znajduje się największy skarb Wiślicy, Płyta Orantów. Ten unikatowy zabytek sztuki romańskiej, nie tylko w Polsce, zdobił posadzkę starszej świątyni, z XII wieku. Na dwóch płytach z masy gipsowej wyryto sześć postaci, trzy w dolnej i trzy w górnej, obramowując je bordiurami przedstawiającymi rośliny i mitologiczne zwierzęta. Ryty wypełnione smołą lub węglem drzewnym stworzyły po zastygnięciu trwały rysunek, którego doskonała forma artystyczna świadczy o tym, że wykonał go nie lada majster, może zagraniczny. Na dolnej płycie wyobrażono prawdopodobnie Kazimierza Sprawiedliwego, jego syna Bolka i żonę Helenę z uniesionymi w geście modlitewnym rękami, skąd nazwa płyty. Rysunek na górnej płycie przedstawia – znowu być może – Henryka Sandomierskiego, biskupa Gedkę i najstarszego syna Kazimierza Sprawiedliwego. Napis pod nim, mocno wytarty, głosi po łacinie: *Ci pragną być podeptani, aby mogli wznieść się ku gwiazdom.*

Kto wie, czy pod tą niezwykłą posadzką nie znajduje się krypta grobowa piastowskich książąt, ale strach unieść płytę, aby jej nie uszkodzić. Przydałoby się badanie promieniami podczerwonymi, jednak na to, jak i na wiele innych potrzeb, nie ma w Wiślicy pieniędzy.

KOLEGIATA – KOŚCIÓŁ POKUTNY

Obecna wiślicka kolegiata jest także dziełem królewskim. Wzniósł ją – bo musiał – Kazimierz Wielki. Już jego ojciec, Władysław Łokietek, miał wyjątkowy sentyment do Wiślicy, potwierdzony ofiarowaniem miejscowej świątyni pięknej, wczesnogotyckiej (około 1300 r.) figury Madonny, dziś umieszczonej w głównym ołtarzu, jego zaś znakomity syn musiał tu wystawić kościół. Jako pokutę.

Oto nie wszyscy – okazuje się – kochali króla. Wśród osób mu nieprzychylnych był biskup krakowski Bodzanta, który obłożył władcę ekskomuniką. Ale sam jej nie doręczył, wysłał z dokumentem na Wawel swego wikarego Marcina Baryczkę. Temperamentny Kazimierz najpierw go uwięził, a potem kazał podobno utopić w Wiśle. Sprawa trafiła do papieża, król uznał swój grzech i w ramach pokuty postanowił ufundować sześć kościołów, która to seria została nazwana „baryczkową". Najważniejsze z nich to świątynie w Wiślicy, Stopnicy i Szydłowie. Ich cechą wspólną są dwie podtrzymywane kolumnami nawy, a na krzyżowo-żebrowych sklepieniach zworniki z płaskorzeźbionymi herbami.

Kolegiata w Wiślicy, choć kontrowersyjnie odrestaurowana po I wojnie światowej przez Adolfa Szyszko-Bohusza, jest niewątpliwie świątynią najokazalszą, także ze względu na wspaniałe rusko-bizantyńskie freski, pokrywające ściany jej prezbiterium. Tę niezwykłą polichromię ofiarował Wiślicy Władysław Jagiełło, z którego panowaniem wiążą się w Polsce wpływy Wschodu. Podobne malowidła były jednakże rzadkością, zachowały się jedynie w lubelskiej kaplicy zamkowej, kolegiacie sandomierskiej, na Wawelu (w komnatach i kaplicach katedry) oraz w prezbiterium archikatedry gnieźnieńskiej. Nie zachowały się w kościele benedyktyńskim na Świętym Krzyżu. W Wiślicy freski są profesjonalnie odrestaurowane, wielka szkoda, że nie możemy oglądać ich w całości, ale i tak stwarzają wyjątkową atmosferę i pozwalają obcować z piękną, oryginalną sztuką.

DOM DŁUGOSZA

Naprzeciwko kolegiaty znajduje się piękny, gotycki dom z czerwonej cegły, na którego szczytach zachowały się tarcze z herbem Wieniawa. To herb Jana Długosza, który ufundował ten piętrowy budynek dla dwunastu kanoników i dwunastu wikariuszy, i ponoć uczył tu synów Kazimierza Jagiellończyka. Dziś Dom Długosza jest siedzibą Muzeum Regionalnego, o którego zbiorach doskonale opowiadają bardzo kompetentni przewodnicy. Gabrysia i Wojtek mogą także oprowadzić po całej Wiślicy, obdarzając zainteresowanych nie tylko odpowiednią porcją wiedzy, ale i wieloma ciekawostkami.

Fragment polichromii w Domu Długosza

poniżej
Dom Długosza

Fragment wnętrza katedry
w Wiślicy

po prawej
Zwieńczenie ołtarza
w kolegiacie wiślickiej

poniżej
Panorama Wiślicy
z kolegiatą Narodzenia ŅMP

następne strony
Freski w prezbiterium
kolegiaty wiślickiej

Według mnie najciekawsza w muzeum jest sala znajdująca się na prawo od wejścia, z drewnianym stropem ozdobionym dekoracją roślinną i herbem Wieniawa. Ale uwagę zwracają tu przede wszystkim późnogotyckie – z końca XV wieku – freski przedstawiające Chrystusa Zmartwychwstałego z klęczącą przed nim figurą, prawdopodobnie Długosza, i św. Dorotą – też prawdopodobnie. A dalej, przy oknie, przepiękna, tajemnicza głowa uśmiechniętego mężczyzny – może samego Boga? Przez pewien czas fresków tych nie będzie można oglądać, zdjęto je bowiem i przewieziono do Krakowa, gdzie są konserwowane bardzo nowoczesną, skomplikowaną metodą. Po zakończeniu prac powrócą na miejsce.

Długosz ufundował także dzwonnicę kościoła, na planie kwadratu, o czterech kondygnacjach, z herbowym fryzem, na którym także widnieje oczywiście jego rodowy znak.

Pan Wojtek zaprowadził mnie jeszcze na teren grodziska z czasów Bolesława Chrobrego, zniszczonego przez najazd Mongołów. W Wiślicy marzy się o jego rekonstrukcji na wzór Biskupina, żeby przypominało o dawnych wspaniałych czasach dzisiejszej wsi gminnej. Cóż, losy nie zawsze były dla niej łaskawe. Oprócz Mongołów niszczyli ją Węgrzy, pustoszyli Szwedzi, a w 1869 roku pozbawiona została praw miejskich, jak wiele zresztą miast w tym regionie, za udział w powstaniu styczniowym. Dobrze, że w 2011 r. porozumieli się ksiądz proboszcz z marszałkiem województwa świętokrzyskiego i ogłosili pakt „Pora na Wiślicę". Mam nadzieję, że oprócz słów i dobrych chęci znajdą się na ten pakt pieniądze.

JEDZIEMY
DO BUSKA

Rzeźba rycerza Dersława

po prawej
Sanatorium „Marconi"
w Parku Zdrojowym

Oczywiście do Buska-Zdroju, bo tam właśnie dzięki leczniczym wodom, wykwalifikowanym specjalistom i nowoczesnym urządzeniom rehabilitacyjnym będziemy mogli usunąć – a choćby tylko zmniejszyć – nasze niedomogi ruchowe i krążeniowe, kłopoty skórne i neurologiczne, a może tylko odpocząć. Korzysta się tu przede wszystkim z kąpieli siarkowych, znanych od wieków, ale także z krioterapii, ćwiczeń w basenie tudzież rozmaitych innych skomplikowanych zabiegów. Powinno się bywać u tych cuchnących piekłem wód co dziewięć miesięcy, wówczas terapia się utrwala i efekt jest lepszy. Jeśli ktoś może – proszę to wziąć pod uwagę. Ja bywam tu co najmniej raz w roku. Także dla uroków dorzecza Nidy, w której niecce położone jest Busko.

ZACZĘŁO SIĘ OD DERSŁAWA...

Najpierw, czyli od połowy XII wieku, była to osada rycerska. Jej właścicielem był Dersław herbu Janina, zwany także Dzierżko lub Dzierżysław, brat biskupa płockiego Wita, przy którego pomocy sprowadził z Witowa do Buska norbertanki, siostry wielce surowej reguły (mogły mieć tylko jeden biały habit z grubej, białej wełny, owczy kożuszek i czarny welon), i ufundował im klasztor. Nie tylko zresztą. Kiedy oto wyjeżdżał na trzecią krucjatę do Ziemi Świętej przy boku cesarza Fryderyka I Barbarossy, zostawił testament, na mocy którego, gdyby nie wrócił, Busko i okoliczne wsie, czyli prawie wszystkie jego włości, miały przejść na rzecz klasztoru, a żona winna w nim spędzić resztę żywota. Jeśli przeniesie się do innego klasztoru – przestrzegał – nic oprócz ubrania nie dostanie. Czy tak się stało – nie wiadomo.

Był to ponoć pierwszy testament na ziemiach polskich.

Dzierżko z wojaczki podobno powrócił, ale jego ostatnia wola została spełniona po śmierci w 1241 r. Busko stanowiło własność mniszek aż do 1819 r., czyli do kasacji klasztoru. Hojnego rycerza przypomina dzisiaj „Zamek Dersława", z niezbyt jednak odległych czasów, powstał bowiem ze snobistycznej inicjatywy rosyjskiego lekarza Wasyla Jacobsa na początku XX wieku; nazwę nadał mu następny właściciel, Leon Sulimirski, przeznaczając okazałą budowlę na pensjonat. Dzisiaj mieści się też w „Zamku Dersława" restauracja; zapamiętałam ją z niezłej kolacji.

Wojskowy Szpital Uzdrowiskowo-
Rehabilitacyjny

na górze
Sala koncertowa
w sanatorium „Marconi"

Rozwojowi miasta – prawa przyznał mu w 1287 r. Leszek Czarny – sprzyjało paradoksalnie fatalne położenie, bo ulokowało się ono na terenie podmokłym zwanym „bug", od którego to słowa, a nie od lasów bukowych, jak głosi inna hipoteza, wywodzi się prawdopodobnie jego nazwa. Miało jednak to usytuowanie także dobrą stronę: okoliczne wody okazały się silnie zmineralizowane. Już w 1253 r. Bolesław Wstydliwy nadał klasztorowi norbertanek przywilej uprawniający do eksploatacji solanek. A że wody miały właściwości lecznicze – zaświadczają kroniki klasztoru, z których dowiadujemy się, że aż cztery razy korzystała tu z solankowych kąpieli królowa Jadwiga, uznana za pierwszą w Busku kuracjuszkę. Bawił tu i jej królewski małżonek Władysław Jagiełło; to on nadał miastu prawo do organizowania jarmarków na św. Prokopa i św. Floriana.

Miasto rozwijało się nieźle do XVII wieku, sławne z szewców, sukienników, gorzelników, kotlarzy, kramarzy. Ale musiało też mieć dobre podglebie intelektualne, skoro stąd wywodził się wykształcony w Padwie Jan z Buska, prawnik, notariusz i sekretarz królewski, w latach 1360-1368 przedstawiciel Kazimierza Wielkiego na dworze papieskim w Awinionie.

Gorsze czasy zaczęły się, jak w wielu innych miastach, od potopu szwedzkiego, a do tego przyszły zarazy i pożary, jakże uciążliwe dla drewnianej zabudowy.

Szansą dla miasta stał się... rozbiór Polski, jako że gdy Austriacy zagarnęli Wieliczkę i Bochnię, zabrakło soli. Zaczęto więc eksperymentować z jej wydobyciem właśnie w Busku. W 1797 r. przybył tu nawet król Stanisław August Poniatowski i przyglądał się postępom w wytwarzaniu tak cennego nagle produktu. Interesowali się nim także Hugo Kołłątaj i Stanisław Staszic, jednak wydobycie soli okazało się nieopłacalne, a w dodatku wkrótce włączono Busko do zaboru austriackiego.

POWSTAJE SANATORIUM

Lepsze czasy zaczęły wracać do Buska wraz z leczniczym wyko-
rzystaniem solanek. Prekursorem był lekarz z Pińczowa, Jan Winter-
feld, który w 1808 r. zaczął badać ich właściwości... na żebrakach
i zwierzętach. Po kasacji klasztoru norbertanek dzierżawcą miasta
został Feliks Rzewuski, a że jemu miejscowe wody pomogły ponoć
w wyleczeniu się z reumatyzmu – otworzył w roku 1836 uzdrowisko. I to nie byle jakie, bo architekturę słynnych buskich „Łazienek"
zaprojektował sławny Henryk Marconi. Ten wybitny mistrz urodził się w Rzymie, wykształcił w Bolonii, a do Polski sprowadził go
w 1822 r. gen. Michał Ludwik Pac, któremu zaprojektował między
innymi pałace w Dowspudzie i w Warszawie. Jest autorem wielu
świetnych budowli, w tym kościoła św. Karola Boromeusza, Hotelu
Europejskiego w Warszawie czy pałacu Wielopolskich w niedalekim
od Buska Chrobrzu. Ciekawostka – poślubił córkę ogrodnika Paca,
kalwinkę, i dlatego część ich sześciorga dzieci była wychowywana
w wierze katolickiej, druga zaś w kalwińskiej. Niech żyje kompro-
mis. I tolerancja. Pracował też Marconi jako profesor w warszaw-
skiej Szkole Sztuk Pięknych. Czuł się Polakiem, brał nawet udział
w powstaniu listopadowym.

Pijalnia wód w sanatorium
„Marconi"

poniżej
Wojskowy Szpital Uzdrowiskowo-
Rehabilitacyjny

Fontanna w parku miejskim

poniżej
Malownicza uzdrowiskowa uliczka

Monumentalny, przywodzący na myśl raczej pałac niż szpital budynek „Łazienek", dziś znany jako ekskluzywne sanatorium „Marconi", inspirowany architekturą starorzymską, został zaprojektowany w kształcie litery „T" razem z przepięknym Parkiem Zdrojowym autorstwa Ignacego Hanusza; zachowało się w nim do dzisiaj wiele różnorodnych, liczących ponad 100 lat drzew, pośród których odpoczywają na ławeczkach kuracjusze, a przygrywa im w amfiteatrze orkiestra albo miejscowi akordeoniści. W sanatorium znajduje się świetna sala koncertowa ozdobiona biustami starożytnych i pijalnia wód z koryntkimi kolumnami. Bywali tu Helena Modrzejewska, Ludwik Solski, Witold Gombrowicz, Nina Andrycz, a i teraz można tu spotkać krajową elitę intelektualną i artystyczną.

Wracając do historii – Busko rozwijało się coraz bardziej, zyskując sławę europejską. Pomagał mu klimat – słońce świeci tu bowiem przez prawie 200 dni w roku, jest więc pogodnie i ciepło – a do tego wspaniałe warunki spacerowe zarówno w mieście, jak i w okolicy. Dużo zieleni, drzew, przy ulicach stare wierzby, które upodobały sobie sowy; niestety, w ostatnich latach już ich tam nie widziałam, ktoś albo coś je wypłoszyło. Wojny nikomu nie sprzyjają, więc i uzdrowiskom też, ale i po pierwszej, i po drugiej zaczęło przybywać w Busku willi i pensjonatów. Obecnie przyjmuje kuracjuszy kilkanaście już sanatoriów z ponad dwoma tysiącami miejsc. Oprócz „Marconiego" najpopularniejsze to „Włókniarz", „Nida", „Krystyna", „Słowacki", „Rafał", „Oblęgorek". Ja odwiedzam tzw. WSZUR, czyli Wojskowy Szpital Uzdrowiskowo-Rehabilitacyjny, doceniając nie tylko jego świetne zaopatrzenie w sprzęt leczniczy i zabiegi, ale także pracujących tam ludzi, których polubiłam, a z niektórymi nawiązałam nawet przyjaźń. Czasami opowiadam tam kuracjuszom o świecie.

ZOBACZYĆ, POSŁUCHAĆ...

Zacznę od „posłuchać".

Mieszkańcy Buska są dumni, że mogli słuchać piosenek Wojtka Belona (Bellona). Bard grupy Wolna Grupa Bukowina urodził się wprawdzie w Kwidzyniu, ale wychował się, mieszkał i jest pochowany w Busku. Kochał – jak ja – Ponidzie i poświęcił mu wiele swoich kompozycji. Jest uważany za pioniera piosenki turystycznej, zaczął ją promować już na koncertach szkolnych. Umarł w 1985 r., miał 33 lata. Przetrwały, zwłaszcza w Busku, jego melodie i jego legenda. Co roku w maju organizuje się tu Ogólnopolski Festiwal Piosenki im. Wojtka Belona „Niechaj zabrzmi Bukowina". W roku 2008 została w centrum miasta odsłonięta ławeczka z brązu: siedzi na niej kompozytor z gitarą. Autorem pomnika jest Jacek Kucaba, rzeźbiarz z Tarnowa, którego poznałam jako oddanego GOPR-owca w Bieszczadach. Obaj mieli włóczęgę we krwi (tak jak i ja).

Ławeczka Wojtka Belona, barda Wolnej Grupy Bukowina

Miłośnicy muzyki poważniejszej mają okazję na przełomie czerwca i lipca posłuchać wybitnych jej wykonawców na organizowanym w Busku Międzynarodowym Festiwalu Muzycznym im. Krystyny Jamroz. Wybitna śpiewaczka operowa, sopran dramatyczny, diwa między innymi Teatru Wielkiego w Warszawie, znana choćby z wielkich kreacji w „Turandot", „Aidzie" i „Diabłach z Loudun", przyszła na świat w 1923 r. w domu przy ulicy gen. Feliksa Rzewuskiego, stąd wyjechała na studia do Wrocławia. Umarła w 1986 r. Na festiwalu jej imienia wykonywana jest muzyka symfoniczna, kameralna, ale najważniejsze są w moim przekonaniu recitale śpiewacze, one bowiem przypominają najbardziej o pięknym głosie artystki. Jako że cieszą się wielkim powodzeniem, poza salami koncertowymi w Busku można ich też słuchać w okolicznych miejscowościach: Wiślicy, Pińczowie, Kurozwękach. Naprawdę warto.

Warto też pojechać do tych miejsc nie tylko ze względów muzycznych, znajdują się w nich bowiem zabytki związane z najstarszymi dziejami Polski czy wspaniałe kościoły. Jest więc omawiana już Wiślica, jest Nowy Korczyn, Staszów, Chroberz z pałacem Wielopolskich, trochę dalej Rytwiany z niesamowitym zespołem pokamedulskim i wiele innych niezwykle ciekawych, a tak mało znanych miejsc.

W samym Busku również jest co oglądać.

Zapraszam najpierw do kościółka św. Leonarda, frankońskiego pustelnika, patrona – jak już wiemy – między innymi więźniów i jeńców, dlatego jego atrybutem są łańcuch i skruszone kajdany. Kryty gontem, ma konstrukcję zrębową. Nad pięknymi późnogotyckimi odrzwiami w kształcie oślego grzbietu widnieje data powstania tej skromnej świątyni: rok 1699. Lata czekałam, żeby wejść do wnętrza, było wciąż remontowane. Wreszcie jest dostępne, a co w nim

Ołtarz główny w kościele
św. Leonarda

po prawej
Wnętrze kościoła Niepokalanego
Poczęcia Najświętszej Maryi
Panny w Busku-Zdroju

poniżej
Kościół św. Leonarda

ciekawe, to resztki barokowej polichromii, figura patrona w ołtarzu głównym, a w bocznym – Matki Bożej z ruchomymi ramionami. Wokół świątyni – XIX-wieczny cmentarz, a na nim, wśród kamiennych nagrobków, zabytkowa płyta z grobu rodzinnego Rzewuskich.

Bardziej okazały jest kościół parafialny p.w. Niepokalanego Poczęcia NMP. Jego protoplasta był wzniesiony z drewna w XII wieku przez rycerza Dersława, na tym samym miejscu powstała w XV wieku świątynia gotycka, zaś w latach 1592-1621 obecny kościół w stylu barokowym, któremu w 1820 r. przybyła klasycystyczna fasada. Wnętrze przestronne, w bieli, w ołtarzu głównym obraz Matki Bożej przypisywany Franciszkowi Smuglewiczowi. Nieopodal – XVIII-wieczny, zaniedbany budynek klasztorny sióstr norbertanek.

W centrum miasta przy reprezentacyjnej Alei Mickiewicza warto wstąpić do Galerii Sztuki „Zielona", mieszczącej się w ładnej, drewnianej, przedwojennej willi Polonia pomalowanej na zielono. Można tu zobaczyć ciekawe wystawy współczesnej twórczości artystów regionu i nie tylko.

Z bardziej przyziemnych atrakcji polecam buski „bazarek" na zapleczu sanatorium „Nida". Można na nim nabyć, jak to się mówi „mydło i powidło", czasami udaje mi się jednak wygrzebać rzeczy przydatne i atrakcyjne prezenciki dla znajomych. Ale jeśli będziecie w Busku-Zdroju latem lub wczesną jesienią, to znajdziecie na bazarku niesamowity wybór doskonałych owoców. Nie z Chin ani z Afryki: te truskawki, porzeczki, agrest, czereśnie, wiśnie, maliny, śliwki, jabłka, gruszki, a do tego orzechy – to prawdziwy produkt regionalny, pyszny, zdrowy, kolorowy. Smacznego!

W KOTLINIE
JELENIOGÓRSKIEJ

po prawej
Klasycystyczny ratusz (1747-1749)

Wiecie, że na Dolnym Śląsku jest więcej zamków i pałaców niż nad Loarą? Jeśli dodać do tego kościoły, klasztory i ratusze, to okaże się zapewne, że znajduje się tu najwięcej zabytków w Polsce. A do tego przepiękne, łaskawe dla pieszej turystyki góry: Karkonosze, Sowie, Stołowe. Malownicza jesień to dobra pora, aby zwiedzić ten ciekawy region.

Z JELENIEM W HERBIE

To oczywiście Jelenia Góra. Legenda powiada, że we wspaniałych borach pomiędzy dwiema rzekami, Bobrem i Kamienną, polował na jelenie sam Bolesław Krzywousty i zachwyciwszy się urodą okolicy postanowił założyć tu gród, co stało się podobno w roku 1108. Miastem została Jelenia Góra sto lat później i choć przeszła z czasem pod panowanie Czech, rozwijała się świetnie, opierając swój dobrobyt głównie na tkactwie. Sławne były jej materie lniane, sukna, brokaty i nadzwyczaj cienkie tiule. Jak to w dziejach zazwyczaj bywa, przychodziły na miasto także gorsze czasy: a to spłonęło niemal doszczętnie w czasie wojny trzydziestoletniej (1618-1648), a to przetrzebiły ludność epidemie, na domiar złego w XVIII wieku zrujnowała miejscowe tkactwo tańsza, bo maszynowa produkcja tkalni angielskich. Łaskawa za to była dla miasta ostatnia wojna, bowiem nie spowodowała w nim żadnych zniszczeń. Wcześniej do jego rozwoju przyczyniły się koleje, które od drugiej połowy XIX wieku prowadziły stąd do różnych miast, także do Berlina, kiedy to Dolny Śląsk należał już do Prus, a potem do Niemiec.

Polecam Czytelnikom zamki, ale ten XIII-wieczny z Jeleniej Góry został rozebrany już w XV wieku, więc radzę rozpocząć zwiedzanie od kościołów. Lubię szczególnie ten garnizonowy, czyli Podwyższenia Krzyża Świętego, a to z wielu powodów, choć nie ukrywam, że jednym z najważniejszych jest przyjaźń z jego proboszczem, księdzem doktorem prałatem i pułkownikiem Andrzejem Bokiejem, który przywrócił świątyni i jej otoczeniu świetność, zasłużywszy się zwłaszcza odrestaurowaniem znakomitych i – o dziwo! – znajdujących się w prezbiterium za ołtarzem głównym organów z 1729 r., będących dziełem berlińskiego organmistrza Johanna Michaela Rödera. Mając tak świetny instrument ks. Bokiej zorganizował

Koncertowe organy w kościele
Podwyższenia Krzyża Świętego
mają ponad 5000 piszczałek

na górze
Kościół Podwyższenia
Krzyża Świętego zaprojektował
Martin Franz z Revala

po prawej
Piękny prospekt organowy
w kościele Podwyższenia Krzyża
Świętego znajduje się wyjątkowo
nie od strony chóru, tylko
prezbiterium

w 1998 roku znakomity festiwal muzyczny „Silesia Sonans", który odtąd każdego września gości w kościele nie tylko mistrzów gry na organach, ale także zespoły symfoniczne i wybitnych solistów z kraju i ze świata. Kościół, do 1945 r. protestancki, jest najokazalszym z tak zwanych Kościołów Łaski, których było na Dolnym Śląsku sześć – w Jeleniej Górze, Żaganiu, Cieszynie, Kamiennej Górze, Miliczu i Kożuchowie. Powstały na początku XVIII wieku, kiedy to dzięki wstawiennictwu króla szwedzkiego Karola XII elektor saski August II zezwolił łaskawie na ich budowę dyskryminowanym po kontrreformacji luteranom. Nasz kościół garnizonowy, mogący pomieścić 7500 osób dzięki dwukondygnacyjnym emporom, został zaprojektowany przez Martina Frantza z Revala, czyli dzisiejszego Tallina, na wzór świątyni w Sztokholmie. Ciekawostka: kiedy szwedzka świątynia została zniszczona – odbudowano ją według planów tej jeleniogórskiej.

Nie chciałabym, żeby moja predylekcja do kościoła garnizonowego – teraz już tylko z nazwy, bo wojska w Jeleniej Górze zabrakło i kościół stał się parafialnym – zniechęciła Czytelników do zwiedzenia innej parafialnej świątyni, św. św. Erazma i Pankracego, najstarszej w mieście, niegdyś romańskiej, z pięknie zachowaną kamienną architekturą późnogotycką. Wystrój jest renesansowo-barokowy; ołtarz główny wyrzeźbił na początku XVIII wieku norweski mistrz Thomas Weisfeld.

Portret znakomitego grafika Józefa Gielniaka, którego dzieła znajdują się w jeleniogórskim Muzeum Karkonoskim.

Ze świeckich wartości trzeba docenić średniowieczny układ przestrzenny miasta i oczywiście ratusz, szkoda tylko, że to już nie budowla gotycka i renesansowa, ale XVIII-wieczna, klasycystyczna, jednak w swoim stylu wielce przyzwoita. Przed ratuszem jest fontanna z Neptunem. Może kiedyś miasto korzystało z handlu morskiego?

Dzisiaj Jelenia Góra ma dwa teatry, filharmonię i bardzo ciekawe Muzeum Karkonoskie, w którym polecam największą w Polsce kolekcję szkła, obrazy Wlastimila Hofmana, który mieszkał i tworzył w pobliskiej Szklarskiej Porębie, a przede wszystkim – linorytnicze dzieła znakomitego grafika Józefa Gielniaka, który ostatnie dziesięć lat życia spędził w sanatorium gruźliczym w Bukowcu koło Kowar, na południe od Jeleniej Góry. Repatriant z Francji, miał się uczyć w Polsce na dyplomatę, ale dopadła go nieuleczalna choroba. Nie poddał się, pracował do końca. Umarł w 1972 roku. Gielniak prowadził bardzo interesującą korespondencję artystyczną z moim – również świętej pamięci – krakowskim przyjacielem Jerzym Pankiem, jednym z najwybitniejszych polskich grafików, mistrzem drzeworytu; opracowałyśmy ją z Wiesławą Wierzchowską dla Biblioteki Narodowej i powstała książka „Panek-Gielniak. Życie, przyjaźń, sztuka".

TROPEM KRÓLOWEJ MARYSIEŃKI

W latach siedemdziesiątych ubiegłego wieku zaczęto powiększać obszar Jeleniej Góry, wszak stała się na pewien czas miastem wojewódzkim. Przybył jej Sobieszów, gdzie znajduje się siedziba dyrekcji Karkonoskiego Parku Narodowego, Maciejów z ruinami zamku o rodowodzie jeszcze romańskim i ciekawym, barokowym kościołem św. św. Piotra i Pawła czy Jagniątków z secesyjną willą niemieckiego noblisty (1912) w dziedzinie literatury Gerharda Hauptmanna. Najatrakcyjniejszymi jednak zdobyczami były zamek Chojnik i Cieplice.

Zamek został wzniesiony na tak stromej skale, że musiał obrosnąć legendami. Jedna z nich powiada o dumnej i pięknej księżniczce Kunegundzie, która ogłosiła, że tego tylko rycerza pojmie za męża, który objedzie konno zamkową stromiznę. Oczywiście wszyscy zalotnicy spadali w przepaść, aż trafił się jeden tak piękny, że Kunegunda chciała mu oddać rękę bez zabójczej próby. On jednakże się uparł, skałę objechał, ręką damy wzgardził, więc upokorzona sama rzuciła się w przepaść.

Protoplastą zamku był dwór myśliwski, który wystawił tu w XIII wieku książę świdnicki Bolko I Surowy. W następnym stuleciu jego wnuk zbudował zamek z kamienia. Później długo Chojnik był siedzibą znamienitego rodu Schaffgotschów skoligaconego z Piasta-

Józef Gielniak „Bukowiec", linoryt (1969)

mi poprzez małżeństwo z córką księcia brzesko-legnickiego Barbarą. Nigdy nie został zdobyty, aż w 1675 r. trafił go piorun, strawił pożar i jest dzisiaj zakonserwowaną, wielce malowniczą ruiną. Kiedy wspinałam się ku niemu tak zwanym szlakiem zbójnickim, udało mi się zobaczyć sprowadzone tu z Sardynii muflony.

Perłą w jeleniogórskiej koronie są niewątpliwie Cieplice. Ich legendarne dzieje wywodzi się też od polowania, tym razem na sarnę, którą Bolesław Wysoki tropił tak długo, aż niemal padła ze zmęczenia. I oto stał się cud: kiedy zwierzę zanurzyło się w ciepłym źródle – znów nabrało wigoru i umknęło księciu, który dzięki temu odkrył sławne cieplickie wody lecznicze.

Cieplice Zdrój to najstarsze polskie uzdrowisko. W XIII wieku wybudowali tu pierwszy dom zdrojowy sprowadzeni ze Strzegomia joannici. W średniowieczu kobiety i mężczyźni korzystali z gorących źródeł osobno, ubrani w długie, zakrywające całe ciało płócienne koszule, wspomagając terapię pobożnymi pieśniami. Nie sądzę, aby później śpiewała je królowa Marysieńka, która przebywała tu dwukrotnie, ze swoją świtą liczącą ponoć 1500 dworzan. Zatrzymywała się w rezydencji Shaffgotschów, od XIV wieku właścicieli

Cieplic. Za każdym pobytem bawiła tu miesiąc, zażywając kąpieli dwa razy dziennie. Wówczas korzystano pewnie z płytszych pokładów wody, o temperaturze 40 stopni, dzisiaj ma ona około 90 stopni i trzeba ją ochładzać. Plotka (?) głosi, że królowa, obrażona, jakoby przestała bywać u cieplickich wód, kiedy cesarz nie wyraził zgody, by została matką chrzestną córki Krzysztofa Schaffgotscha.

Ze znanych Polaków kurowali się w Cieplicach także Jakub Sobieski, Hugo Kołłątaj, Izabela Czartoryska, Wincenty Pol, Juliusz Słowacki. Przez kilka lat (1947-1953) mieszkał tu i tworzył znakomity kompozytor oper i baletów Ludomir Różycki.

Schaffgotschowie oprócz pałacu wznieśli Dom Zdrojowy, Teatr Zdrojowy i Pawilon Norweski, w którym mieści się dziś warte zwiedzenia Muzeum Przyrodnicze z ambitną kolekcją gromadzoną od XVI wieku. Założyli też dwa parki – Zdrojowy i Norweski; w tym pierwszym można podziwiać niezwykłą kolekcję uli, z których część została ponoć przerobiona z sakralnych rzeźb zawłaszczonych po sekularyzacji śląskich klasztorów.

Ks. płk dr Andrzej Bokiej, proboszcz kościoła p.w. Podwyższenia Krzyża Świętego, inicjator znakomitych festiwali organowych

po lewej
Stara rycina przedstawiająca Warmątowice Sienkiewiczowskie

SIENKIEWICZ NIE CHCIAŁ

Choć to już nie Jelenia Góra, ale ciągle Kotlina Jeleniogórska, chciałabym jeszcze zaprosić Czytelników do Warmątowic Sienkiewiczowskich. Skąd taka nazwa? Oto wywodzący się z Podlasia Alfred von Olszewski pod wpływem – czytanej zresztą po niemiecku – „Trylogii" Sienkiewicza nie tylko nadał dzieciom polskie imiona i kazał się pochować przy dźwiękach mazurka Dąbrowskiego, ale jeszcze przykazał potomkom nauczyć się biegle języka polskiego, bo inaczej majątek przejdzie na własność Henryka Sienkiewicza! Dzieci warunku nie spełniły, ale nasz kultowy pisarz przesłał do wdowy po Alfredzie taki oto list: *Nastąpi zrzeczenie się moje i moich następców wszelkich praw do spadku. Inaczej zresztą nigdy nie miałem zamiaru postąpić (...) gdyż do Polski i polskiej idei nie ciągnie się nikogo groźbą wyzucia z ziemi po ojcach.*

Warto też zajrzeć do Michałowic koło Jeleniej Góry, gdzie mieszka i tworzy mistrz detalu i poetyckiej metafory, typowo śląski malarz Paweł Trybalski. Niezwykle precyzyjnego warsztatu nauczył się, studiując dzieła dawnych mistrzów, ale jego obrazy noszą wyraźne znamię współczesności. Zderza to, co odwieczne, jak natura czy kosmos, z najnowszymi wynalazkami ludzkości, wskazując na ich zagrożenia. Jest realistą i surrealistą zarazem. Jego obrazy, jakby hiperrealizm magiczny, mają tylu wielbicieli, że... sprzedaje je, zanim powstaną.

Wstąpcie więc także do Michałowic. Zwłaszcza jesienią. Jak już mówiłam, to najlepsza pora do zwiedzania Kotliny Jeleniogórskiej.

DO OPOLA,
JEŚLI WOLA!

Opolska Starówka

po prawej
Gotycka wieża, symbol Opola.
Tylko ona pozostała po zamku
na Ostrówce

A wola być powinna, bo to miasto nadzwyczaj ciekawe nie tylko z powodu odbywającego sie tu od 1963 r. festiwalu piosenki. Ma intrygującą historię, sporo zabytków z różnych epok i wielce interesujące okolice, do których poznania też zachęcam.

PO ZAMKU – TYLKO WIEŻA

Została po zamku na Ostrówce, czyli na wyspie Pasieka. Był jeszcze drugi, na Górce, też z wieżą, ale znacznie mniej ciekawą, i równie zniszczony. Ta pierwsza wieża jest ważniejsza także dlatego, że stała się symbolem miasta. A że symbol musi być dobrze widoczny – w 1957 roku dodano jej 11-metrowej wysokości hełm, dzięki czemu mierzy dziś 42 metry.

Zacznijmy jednak zwiedzanie od serca miasta, czyli opolskiego ratusza. Niegdyś gotycki, dzisiaj, po licznych przebudowach, przypomina on sławną siedzibę władz Florencji, Palazzo Vecchio, który to kształt nadał mu architekt Albrecht w drugiej połowie XIX wieku. Kształt ten podtrzymano odbudową w latach 30. ubiegłego stulecia, po tym jak ratuszowa wieża runęła z wielkim hukiem na rynek; na szczęście nie było ofiar śmiertelnych.

Nie udało się też przetrwać w pierwotnej formie opolskim budowlom sakralnym. Najokazalszą z nich jest oczywiście katedra. Wprawdzie jej neogotyckie wieże powstały dopiero w 1899 roku, ale dzieje świątyni, która już w 1295 roku była kolegiatą, są gotyckie, a nawet późnoromańskie. To w katedrze znajduje się sarkofag ostatniego księcia opolsko-raciborskiego, Jana II Dobrego, który umarł bezpotomnie i dlatego Opolszczyzna przeszła w ręce Jerzego Hohenzollerna, który wkradł się ponoć w łaski pana na Opolu, a że wówczas księstwa były jakby własnością prywatną – Opolszczyznę od niego otrzymał. Przedtem Jan II Dobry przejął od księcia Walentyna ziemie raciborskie, bowiem ów także był bezżenny i bezdzietny, więc zawarli „układ na przeżycie", a ponieważ władca Opola przeżył Walentyna, stał się także księciem raciborskim.

Warto też zwrócić uwagę w katedrze na wizerunek Matki Bożej z Dzieciątkiem, która z Piekarskiej stała się Opolską. Obraz trafił do Opola w obawie przed zagrożeniem tureckim, potem szwedzkim, bowiem tu miało być bezpieczniej. Kiedy w Czechach wybu-

chła zaraza, król Leopold I wypożyczył słynący już z cudów obraz i obnosił go w procesji po ulicach Pragi. Ponoć pomogło, modlił się więc przed nim także później Jan III Sobieski, podążając „na potrzebę wiedeńską". I tak Matka Boża została już Opolską, a Piekary mają jej kopię, która – jak twierdzą – czyni jeszcze większe cuda.

Katedrę zwiedzić trzeba, ale proszę nie omijać franciszkańskiego kościoła św. Trójcy. Jego i klasztoru fundatorem był Władysław I Opolski w końcu XIII wieku, później go oczywiście przebudowywano, dziś sprawia wrażenie połączenia gotyku z barokiem i późniejszymi epokami. Został pięknie odnowiony, ma wspaniały prospekt organowy. Ale najserdeczniej polecam zwiedzenie podziemi, zwłaszcza kaplicy św. Anny zwanej Piastowską z przepięknym sklepieniem gwiaździstym tudzież imponującymi grobowcami książąt Bolków – I, II i III oraz żony tego ostatniego, Anny Oświęcimskiej. Żeby sfotografować ich sarkofagi musiałam wdrapać się na dość wysoki parapet – w dyskrecji, ale za przyzwoleniem, którego autorstwa nie ujawnię. Ów anonimowy dobrodziej objaśnił mi też, kogo przedstawiają postacie na ołtarzowym gotyckim tryptyku: znaleźli się na nim oczywiście św. Anna i fundator kościoła Władysław I w towarzystwie Władysława II, św. Barbary i św. Anny Śląskiej. Proszę ich zidentyfikować i podziwiać kunszt artysty.

Gotycka rzeźba Madonny

na górze
W opolskiej katedrze znajduje się sarkofag Jana II Dobrego

po lewej
Opolska katedra p.w. Podwyższenia Krzyża Świętego

Kościół franciszkanów w Opolu
z XIV w.

po prawej
Opolski ratusz przypomina formą
sławny ratusz florencki, Palazzo
Vecchio. Jego wieża ma 60 m

poniżej
Amfiteatr w Opolu.
Tu odbywają się sławne
festiwale piosenki

GÓRA ŚWIĘTEJ ANNY

Św. Anna jest także patronką wsi, parku krajobrazowego, a przede wszystkim sanktuarium oo. franciszkanów. Pierwsza świątynia powstała na bazaltowo-wapiennym wzgórzu w XV wieku, ale obecny kształt uzyskała dopiero w XVIII stuleciu. Wcześniej, po potopie szwedzkim, przybyło tu 22 franciszkanów ze spalonego klasztoru w Krakowie i odtąd Święta Anna im przynależy. Powstało tu 40 barokowych kalwarii, zdążają do sanktuarium liczne pielgrzymki, by oddać cześć patronce, której rzeźba w głównym ołtarzu datowana jest na wiek XV; zależnie od okoliczności przebiera się ją w coraz to inne, bogate sukienki, których kolekcję oglądałam w klasztornym muzeum.

W czasach przedchrześcijańskich Góra Świętej Anny, zwana też Chełmem albo Wzgórzem św. Jerzego, była miejscem kultu pogańskiego; często – nie tylko w Polsce – wznoszono świątynie tam, gdzie oddawano cześć dawnym bogom, zachęcało to bowiem do przyjmowania nowej wiary, a przynajmniej utożsamiania pogańskich bóstw z chrześcijańskimi, dając początek synkretyzmowi. Tak było w Meksyku, gdzie na miejscu azteckiej świątyni bogini Tonantzin wzniesiono bazylikę Matki Bożej z Guadalupe, tak się zdarzyło zapewne i na naszej górze; znana jest ona też powszechnie i z wydarzeń historycznych, bowiem w czasie III powstania ślą-

Znakomity architektonicznie budynek Centrum Edukacji Artpunkt przy opolskiej Galerii Sztuki Współczesnej

poniżej
Gmach Miejskiej Biblioteki Publicznej

skiego, w dniach 21-26 maja 1921 r., toczyły się tu zacięte walki. Upamiętnił je jeden z najznakomitszych polskich rzeźbiarzy, Xawery Dunikowski, wielce oryginalnym na prząśne czasy socrealizmu pomnikiem. Naprawdę warto zobaczyć to wyjątkowe dzieło.

DOKĄD POSZŁA KAROLINKA

Oczywiście do Gogolina, dlatego też znajduje się w tym młodym mieście (prawa miejskie ma dopiero od 1967 r.) Pomnik Piosenki, na którym przedstawiono Karolinkę i Karliczka, kultową parę zespołu „Śląsk". Miasto czyste, zadbane, ale jeśli interesują was zabytki, to znajdziecie je raczej w pobliskich Krapkowicach. Z dawnych, gotyckich murów zachowała się tam przede wszystkim ładnie odrestaurowana wieża Bramy Górnej z renesansową attyką. Z jej górnego tarasu można sfotografować Górę Świętej Anny, schodząc – obejrzeć wystawy artystyczne, a na dole – wytworzyć sobie własnoręcznie tak przecież elegancki papier czerpany.

Krapkowicki zamek, dziś siedziba Zespołu Szkół Zawodowych, powstał według legendy dzięki tajemniczym templariuszom, których rycerski zakon i jego wielkie skarby stały się tematem wielu sensacyjnych powieści. Oczywiście, w takim zamku musiała straszyć

Biała Dama, o której opowiada się do dzisiaj, podobnie jak i o podziemnym, nieodkrytym dotychczas tunelu, mającym łączyć niegdyś
zamek w Krapkowicach z jego odpowiednikiem w Rogowie Opolskim; tam też mieli działać templariusze. Nasz zamek, zrazu gotycki, stał się w XVII wieku dwupiętrową wytworną siedzibą renesansową, z przepiękną jadalną Salą Zwierciadlaną, bogatą, oszkloną
oranżerią i dziedzińcem wewnętrznym otoczonym krużgankami. To
było dzieło Joachima von Redern, którego ród dziedziczył zamek aż
do wygaśnięcia w 1765 roku. Wkrótce Krapkowice przeszły w ręce
rodziny Haugwitzów, która niezbyt się spuścizną przejmowała,
mieszkając w Berlinie albo w Rogowie Opolskim. Zamek podupa-
dał, zdewastowali go zwłaszcza żołnierze napoleońscy i bawarscy,
dla których utworzono tu szpital polowy. Ucierpiał też w czasie
II wojny światowej, aby po odbudowie stać się placówką edukacyjną, w której niewiele przypomina o dawnej świetności.

Po wojnie odbudowano też kościół p.w. Wniebowzięcia NMP,
według legendy także połączony niegdyś z zamkiem podziemnym
tunelem. Posiada godziwą, gotycką metrykę, do 1810 r. zajmowali
się nim cystersi z Jemielnicy. Na skutek pożarów i zniszczeń mało
w nim pozostało z dawnych czasów. Wiele razy ulegał też dopustom jego równolatek, kościół parafialny św. Mikołaja.

Nowoczesne wnętrze Miejskiej
Biblioteki Publicznej

na górze
Opole jest jednym z największych
miast nad Odrą

Pomnik Piosenki w Gogolinie

poniżej
Zamek w Mosznej
po prawej
Opolska Starówka

następne strony
Opolska „Wenecja"

Pominę Rogów Opolski, choć i do tamtego zamku i parku zajrzeć warto. Na deser opolskiej uczty proponuję wizytę w Mosznej, bo tamtejszy zamek to naprawdę niesamowite zjawisko rodem z bajki albo z Disneylandu.

Ale gdy powstawał, nikt o Disneylandzie nie słyszał jeszcze. Główny korpus zamku jest neobarokowy, odbudowany po pożarze autentyku, część wschodnia – neogotycka, a zachodnia – neorenesansowa; ot, mieszanina stylów charakterystyczna dla przełomu XIX i XX wieku, czyli eklektyzm. Posiada 99 wież i wieżyczek, 365 pokoi, tyle co dni w roku, 200-hektarowy park z przepięknymi rododendronami i pomnikowymi drzewami – miała gdzie przyjmować gości rodzina Thiele-Wincklerów, a bywał tu na polowaniu nawet cesarz Wilhelm II. Wojna była dla zamku łaskawa, ale po niej rezydowali tu żołnierze sowieccy i – jak to także w innych rezydencjach bywało – zdewastowali wnętrza oraz wywieźli zbiory malarstwa.

Obecnie zamek w Mosznej jest siedzibą Centrum Terapii Nerwic, ale część jego pomieszczeń jest udostępniona do zwiedzania. Można też tu dobrze zjeść w wykwintnej restauracji, a potem, choćby dla zachowania figury, pójść na przechadzkę po parku, w którym wiosną odbywa się niezwykle kolorowy, bardzo atrakcyjny, nadto wspomagany dobrą muzyką Festiwal Kwitnących Azalii. Polecam.

NA SZLAKU POLICHROMII
BRZESKICH

Fragment polichromii w kościele
św. Mikołaja w Brzegu

po prawej
Kościół św. Mikołaja w Brzegu

Zapewniam: to jeden z najciekawszych szlaków turystycznych i poznawczych w Polsce, można go łatwo przebyć samochodem, a nawet rowerem, rozłożywszy sobie przyjemność na raty. Dla upartych również piesza wędrówka jest możliwa, kiedyś taka trasa byłaby dla mnie niezbyt nawet ambitnym wyzwaniem. Ale do rzeczy.

SZCZĘŚLIWE W NIESZCZĘŚCIU

Tak można by powiedzieć o polichromiach brzeskich, bo nieszczęściem była dla nich Reformacja, która – hołdując idei skromności tudzież kulturze słowa, a nie obrazka – doprowadziła do zatynkowania dawnych malowideł ściennych, ale zarazem uchroniła je dzięki temu od zniszczenia przez czas i inne przypadłości. Tak przetrwały do drugiej połowy ubiegłego wieku; do ich ujawnienia przyczyniła się konserwacja, nie zawsze jednak były środki, żeby je odkryć i odrestaurować, więc wciąż jeszcze wiele z nich czeka na lepsze czasy. Niektóre, niestety, zostały bezpowrotnie zniszczone podczas niewłaściwie prowadzonych remontów.

Dla innych, na szczęście, los był znacznie łaskawszy, dzięki czemu w 1997 r. wytyczono 54-kilometrowy Szlak Polichromii Brzeskich, oznaczony moim ulubionym kolorem niebieskim. Znajduje się na nim czternaście gotyckich kościołów, przeważnie wiejskich. Najciekawsze z nich zwiedzałam w Strzelnikach, Małujowicach, Pogorzeli, Krzyżowicach, Brzegu i Obórkach. Pięknymi polichromiami, ale już barokowymi, zachwycił mnie kościół w Łosiowie, a przyczynił się do tego niezwykle sympatyczny jego proboszcz. To ważne, ponieważ świątynie są, głównie z uwagi na ich ochronę, zamknięte i to, czy do nich wejdziemy, zależy od uprzejmości księdza, zakrystiana albo po prostu osoby, której – zwłaszcza w małych osiedlach – powierzono klucze.

ŚLĄSKA SYKSTYNA

Powinnam zacząć opowieść od Brzegu, gdzie się Szlak zaczyna, a dla niektórych kończy, jednak nęcą mnie najbardziej Małujowice, gdzie byłam już kilkakroć, albowiem tamtejsze polichromie w kościele p.w. św. Jakuba Apostoła mają moc magnesu.

Portal kościoła w Małujowicach

po prawej
Kościół gotycki św. Jakuba
Apostoła w Małujowicach

poniżej
Fragment polichromii
w kościele św. Jakuba Apostoła
w Małujowicach

Wieś znana jest z ważnej dla dziejów Śląska bitwy pod Małujowicami, w której 10 kwietnia 1741 r. wojska pruskie rozgromiły austriackie, choć z początku się ponoć na to nie zanosiło. Wprawdzie nieudolny król pruski Fryderyk II musiał opuścić pole bitwy, ale przejął dowództwo dzielny generał Kurt Christoph von Schwerin i zwyciężył.

Kościół w Małujowicach ma metrykę z XIII wieku, ale z tego czasu zachowało się niewiele wspomnień z kamienia. W następnym stuleciu przebudował świątynię Samborius, ówczesny właściciel wsi, później także ulegała przebudowie w ramach gotyku. Z dawnych, XIV-wiecznych czasów pozostał wspaniały portal, w którego tympanonie przedstawiono pięknie sceny Zwiastowania, Pokłonu Trzech Króli i Wniebowzięcia. Wewnątrz kościoła – gotycka chrzcielnica, rzeźby Matki Boskiej Bolesnej i świętych, ale początkowo nie zwracają uwagi, bo poraża nas wypełniająca prezbiterium i wszystkie ściany niesamowita polichromia. Kiedy byłam tu po raz pierwszy, zobaczyłam ją jeszcze w stanie po nieudanej konserwacji pruskiej w latach 60. XIX wieku, która przydała im barw i szczegółów, coś tam domalowano, coś przemalowano, ale nawet ja, przecież historyk sztuki, nie zwracałam uwagi na ten nadmiar rekonstrukcji, bo zawładnęło mną magiczne piękno przedstawionych scen. Powstały one – głównie na podstawie Starego i Nowego Testamentu – dzięki temu, że ówczesny lud był niepiśmienny, rozumiał tylko słowo mówione i obrazki. Dlatego też popularna stała się *Biblia Pauperum*, Biblia Ubogich, czyli swoisty religijny, dydaktyczny komiks. Najstarsze, XIV-wieczne malowidła wiązane są, choć niepewnie, z praskim warsztatem mistrza Teodoryka; późniejsze, z XV i początku XVI wieku, to dzieła zupełnie anonimowych twórców.

Ołtarz główny kościoła
w Małujowicach

poniżej
Średniowieczne polichromie
w kościele p.w. św. Antoniego
w Strzelnikach

Genesis, Wygnanie z Raju, Zwiastowanie, Boże Narodzenie, Ukrzyżowanie, Sąd Ostateczny, czegóż to nie ma na małujowickich ścianach, a także na najwcześniej ozdobionym strychu, który niegdyś był sklepieniem, ale przedzielono go od świątyni stropem, też przepięknie, ale patronowo malowanym. Ta malowana przestrzeń świątyni ogarnęła mnie inną rzeczywistością, przeniosła w inny czas, wchłonęła, zachwyciła. A jednak gdy przyjechałam tam po kilku latach, kiedy wnętrze św. Jakuba Apostoła wypełniały rusztowania, i jeszcze później, kiedy już były zdejmowane, dopiero wtedy potrafiłam przeżyć należycie skromniejsze z pozoru, ale za to prawdziwie średniowieczne piękno polichromii, kiedy ich pruską powłokę zdjęli profesjonalni konserwatorzy, ujawniając to, co znajdowało się na małujowickich ścianach przed ich zamalowaniem przez protestantów. To jest naprawdę Śląska Sykstyna!

SENSACJA W STRZELNIKACH

W Strzelnikach wiadomo było, że kościół św. Wawrzyńca jest wielce leciwy, później co prawda przebudowywany, ale jego początki sięgają XIII wieku, a więc powstał jako gotycki. Takich kościołów jest na Opolszczyźnie wiele, z podobnie ciekawym wyposażeniem wnętrza. Ale oto w 1958 r., podczas zdejmowania starych tynków w ramach przygotowania do położenia nowych wybuchła sensacja: całe wnętrze kościoła okazało się ozdobione średniowieczną

Fragment średniowiecznych
polichromii w kościele p.w.
św. Antoniego w Strzelnikach

polichromią, znowu *Biblia Pauperum*, która miała uczyć obrazkami
Ewangelii, stwarzając przy tym wyjątkowy, mistyczny klimat świątyni, ale też – wydaje mi się – pobudzając wrażliwość wiernych na
piękno. Dla nas to także dokument, bowiem pośród scen o tematyce sakralnej znalazły się również fragmenty życia codziennego
epoki. Najstarsze malowidła, z XIV wieku, zachowane na ścianie
wschodniej prezbiterium są anonimowe, natomiast te na ścianach
północnej i południowej, wyjątkowej urody, przypisuje się artyście
co prawda nieznanemu z imienia, ale nazywanemu Mistrzem Brzeskich Pokłonów Trzech Króli, jako że właśnie ta scena stała się jego
szczególnym znakiem rozpoznawczym. Pracował w Strzelnikach
w latach 1418-1428, a pozostałe ściany pomalowali w następnym
stuleciu jego naśladowcy.

Polichromie zostały odrestaurowane z wielką, profesjonalną
pieczołowitością i niewielki kościół św. Wawrzyńca stał się jednym
z najciekawszych w kraju.

MISTRZ BRZESKICH POKŁONÓW TRZECH KRÓLI

Wspomniany Mistrz pracował także w kościele Wniebowzięcia
NMP w Krzyżowicach, gdzie dowiedziałam się, iż pochodził prawdopodobnie z Burgundii, skąd mógł przybyć z dworem lubującego
się w podróżach księcia brzeskiego Ludwika II. W Krzyżowicach bez
„Pokłonu" się oczywiście nie obeszło, odsłonięto go – jak i pozostałe malowidła – w prezbiterium, przy remoncie w 1963 r. Obraz jest
duży, ujęty jak arras ramą ozdobnie malowaną. Temat ma wprawdzie sakralny, ale szaty i sprzęty – co zdaje się też mistrza z Burgun-

Fragment polichromii
w Krzyżowicach, kościół
Wniebowzięcia NMP

poniżej
Ukrzyżowanie na Drzewie
Życia – dzieło Mistrza
Brzeskich Pokłonów Trzech
Króli w Krzyżowicach, kościół
Wniebowzięcia NMP

dii (?) wyróżniać – wydają się być mu współczesne. W prezbiterium znajduje się też inna polichromia Mistrza, również w malowanej ramie, z kilkoma scenami figuralnymi, wśród których jest poruszające, także jako dzieło sztuki, „Ukrzyżowanie na Drzewie Życia".

Mistrz działał tu w tym samym czasie, co w Strzelnikach, ale kościół jest o wiek młodszy, z XIV stulecia, później przebudowywany, murowany, jednak w części szachulcowy, co przydaje mu oryginalności.

W Brzegu, mimo że kościół św. Mikołaja to nie prowincjonalna wiejska świątynia, a imponująca bazylika w książęcym mieście, znamię talentu Mistrza Pokłonów noszą tylko polichromie zachowane w zakrystii. Kiedy nastała reformacja i wprowadzono przymusowo luteranizm, jeśli znajdowały się w jego nawie i prezbiterium jakiekolwiek malowidła – a pewnie tak było – zostały zatynkowane. W 1945 r. kościół spłonął i niszczał aż do 1958 r., kiedy to rozpoczęto jego odbudowę i wtedy natrafiono na trop Mistrza w zakrystii. Świątynia odzyskała z czasem swój blask i chociaż jest odnowiona, czuje się w jej wnętrzu ducha dawnych czasów: i tych gotyckich, i renesansowo-barokowych; zachowało się tu bowiem wiele wysokiej klasy epitafiów mieszczańskich.

JESZCZE POD TYNKAMI

Brzeg, ze względu na swoją historię i wspaniałe zabytki, zasługuje na osobny rozdział, więc kontynuując trasę polichromii, którym nadał nazwę, udajmy się do Pogorzeli, gdzie od XIII wieku, aczkolwiek przebudowywany, trwa kościół p.w. Najświętszego Serca Pana Jezusa. Ufundował go wielce ponoć zamożny i wpływowy Pan

z Pogorzeli, z którego rodu wywodził się Przecław z Pogorzeli, biskup wrocławski. Malowidła ścienne odkryto tu już w latach 30. XX wieku, ale zatynkowano je z powrotem; wiadomo, że przedstawiają sceny z życia Maryi i Jezusa. Podczas remontu w 1965 r. odsłonięto za to obrazy namalowane w prezbiterium. Najstarsze, z XIV wieku, zachowały się na sklepieniu; przedstawiają Koronację NMP, Chrystusa w mandorli, a także czterech ewangelistów symbolizowanych przez lwa, orła, byka i człowieka. Polichromie na ścianach (wśród nich Zwiastowanie, Boże Narodzenie, Ukrzyżowanie) są datowane na wiek XV. Żeby obejrzeć Nawiedzenie, św. Barbarę i św. Jadwigę, musiałam zajrzeć za ołtarz. Autorstwo polichromii przypisuje się oględnie warsztatowi ze Strzelnik, ale nie natrafiłam na imię Mistrza Brzeskich Pokłonów Trzech Króli.

Fragment gotyckiej
polichromii w Pogorzeli

na górze
Fragment gotyckiej polichromii
w Pogorzeli. Kościół
Najświętszego Serca Pana Jezusa

Do Obórek zajrzeć warto, bo polskokatolicki kościółek św. św. Apostołów Piotra i Pawła jest uroczy, z powodzeniem łącząc drewno, cegłę i glinę. Całe prezbiterium jest szachulcowe. Metrykę ma XIV-wieczną, lecz niewiele o niej świadczy, dzisiejsza świątynia została bowiem wzniesiona na początku XVI wieku i wkrótce przeszła w ręce protestantów. Interesujące nas polichromie powstały w 1685 r. na suficie – jest to głównie ornament rozetowo-roślinny. Nie średniowieczny, ale zaliczony do Szlaku Polichromii Brzeskich, więc polecam. We wszystkich też kościołach zwracam uwagę na wystrój gotycko-renesansowo-barokowy, zachowało się w nich wiele ciekawych ołtarzy, chrzcielnic, ambon i chórów muzycznych.

Na całym Szlaku zinwentaryzowano 20 polichromii, na Opolszczyźnie – 38. Większość z nich czeka jeszcze na odkrycie. I my czekamy.

GLIWICE
I OKOLICE

W zrewitalizowanych,
modernistycznych budynkach
kopalni „Gliwice" mieści się dziś
Centrum Edukacji i Biznesu

po prawej
Fasada Poczty Głównej, jednego
z najpiękniejszych budynków
w Gliwicach

Miasto zwykłe i niezwykłe zarazem. Na 17 miejscu w kraju pod względem obszaru, na 18 jeśli chodzi o mieszkańców, których liczba, niestety, wciąż maleje, bo zbyt rzadko rodzą się nowi, a młodzi wyjeżdżają za pracą za granicę. Dziś jest ich niewiele ponad 180 tysięcy, co ciągle zapewnia Gliwicom czwarte miejsce na Górnym Śląsku. Chyba miało to miasto dobry klimat genetyczny, jeśli można tak powiedzieć, bo wywodzi się zeń wielu wyjątkowych ludzi.

PIECE, LWY I KREM NIVEA

Mieszkali tu i tworzyli Tadeusz Różewicz i Adam Zagajewski, tu uczył się i wykładał Jerzy Buzek, tu spędzili młodość Wojciech Pszoniak i Stanisław Soyka, ale Gliwice mają też swoich dawniejszych, znakomitych obywateli i warto o nich pamiętać. Każdy chyba słyszał o hucie „Baildon", ale mało kto wie, skąd wywodzi się jej nazwa. Otóż w roku 1793 przybył na Górny Śląsk młody Szkot John Baildon, aby objąć stanowisko doradcy technicznego w Królewskiej Odlewni Żelaza w Gliwicach. To właśnie on zaprojektował pierwszy na kontynencie europejskim piec hutniczy opalany koksem. Mieszkał i umarł w Gliwicach, jest pochowany na Cmentarzu Hutniczym.

Z Królewską Odlewnią, gdzie odlewano przede wszystkim broń, ale także po raz pierwszy najwyższe niemieckie odznaczenie wojskowe – Żelazny Krzyż, związany był rzeźbiarz Theodor Erdmann Kalide, twórca między innymi znanych gliwickich lwów, wizytówki miasta, usytuowanych choćby przed gliwicką Palmiarnią i Willą Caro. Z usług tejże odlewni korzystają do dzisiaj polscy rzeźbiarze, a wśród nich mój przyjaciel Gustaw Zemła, który wielce ją sobie chwali; tu powstał jego znakomity pomnik Powstańców Śląskich. Dzisiaj odlewnia nosi mało poetycką nazwę Gliwickich Zakładów Urządzeń Technicznych, wciąż jednak – ku chwale miasta – zajmuje się nie tylko odlewnictwem przemysłowym, ale i artystycznym. Odlewnictwo artystyczne ma nawet swój osobny, muzealny oddział zorganizowany w dawnej maszynowni Kopalni Węgla Kamiennego „Gliwice". To wyjątkowa, multimedialna ekspozycja, bardzo ją polecam, zwłaszcza że przy okazji można zobaczyć pięknie zrewitalizowane budynki kopalni o świetnej, modernistycznej architekturze, będące dziś także siedzibą Centrum Edukacji i Biznesu.

Kościół św. Bartłomieja
w Gliwicach

poniżej
Kościół katedralny św. św.
Apostołów Piotra i Pawła
w Gliwicach

Być może najbardziej znanym gliwiczaninem byłby Oskar Tro-plowitz, gdyby nadał swemu wynalazkowi miano wywodzące się od jego nazwiska, a nie „Nivea". On to bowiem był twórcą najbardziej popularnego do dzisiaj kremu. Pochodził z rodziny zamożnej, jego dziadek Salomon, handlarz winami węgierskimi, był pierwszym ży-dowskim radnym w mieście, w radzie zasiadał też jego ojciec Louis. Oskar chciał być historykiem sztuki i filozofem, ale został farma-ceutą i kosmetologiem. Już w Hamburgu – ale przecież wywodził się z Gliwic – wyprodukował pierwszy plaster samoprzylepny, wkrót-ce pastę do zębów, która zastąpiła używany dotychczas proszek, a wreszcie, w 1911 r., wprowadził na rynek wielki przebój w kosme-tyce – krem Nivea.

STOLICA HUSYTÓW

Oficjalne dzieje Gliwic sięgają 1276 r., kiedy to uzyskały prawa miejskie. Należały zrazu do rozbitej dzielnicowo Polski, kolejno do Czech, Habsburgów, Prus, Niemiec. W 1921 r., po Traktacie Wer-salskim, zorganizowano plebiscyt, który zadecydował o pozosta-niu Gliwic w Rzeszy, za czym głosowali głównie mieszkańcy miasta, podczas gdy ludność okolicznych wsi chciała należeć do Polski; stało się to dopiero po II wojnie światowej.

To historia w największym skrócie, były jednak w niej fragmenty szczególnie ciekawe. Oto w roku 1430 zajęły miasto wojska husyc-kie, a na ich czele stał Zygmunt Korybutowicz. Książę litewski, nie-

omal król czeski, bratanek Władysława Jagiełły, urzeczony teologią kościoła skromnego propagowaną przez ideowych spadkobierców Jana Husa chciał tu założyć swoje księstwo. Otoczył miasto murem, z którego niewielki tylko fragment zachował się do dzisiaj. Stąd czynił wypady na sąsiednie włości i zgromadził w Gliwicach wielkie ponoć skarby. Niedługo się nimi cieszył, bowiem gdy po prawie roku udał się na dysputę religijną do Krakowa, wykorzystał jego nieobecność książę oleśnicki Konrad IV, opanował zbrojnie miasto i skarby zawłaszczył. Niestety, zniszczył też Zamek Piastowski. Korybutowicz do Gliwic nie miał już po co wracać, ledwie uszedł z życiem.

Wieża historycznej stacji radiowej w Gliwicach

NIEUDANA PROWOKACJA

Najpierw anegdotka z okresu wojny trzydziestoletniej: kiedy w roku 1626 miasto było oblegane przez protestanckie wojsko duńskie, katolickie mieszczanki broniły Gliwic wylewając na głowy agresorów... garnki gorącej kaszy, co dokumentuje rzeźba przy ulicy Plebańskiej.

A teraz nie legenda, ale prawdziwa historia gliwickiej radiostacji, która miała zrzucić na Polskę odpowiedzialność za rozpoczęcie II wojny światowej i tym samym zniechęcić naszych sojuszników do dotrzymania zobowiązań (jak wiemy, i tak ich nie dotrzymali).

Radiostacja, nie bez powodu Oddział Muzeum w Gliwicach, to najwyższa obecnie na naszym kontynencie – 111 metrów – wieża drewniana. Wiedzie na jej szczyt aż 365 schodów, tyle ile dni w roku, a modrzewiowe elementy zostały połączone ponad 16 tysiącami mosiężnych śrub, bez jednego stalowego gwoździa.

Jednym słowem – szacowny zabytek. Ale także świadek dramatycznych wydarzeń, które otrzymały nazwę „prowokacji gliwickiej". Jej przeprowadzenie Hitler zlecił szefowi nazistowskiej służby bezpieczeństwa Reinhardowi Heydrichowi, który uruchomił akcję hasłem: *Babcia umarła*. Dnia 31 sierpnia 1939 r. Himmler rozkazał usunąć ochronę niemieckiej radiostacji w Gliwicach i wtargnęło do niej siedmiu niemieckich napastników, rzekomo powstańców śląskich, którzy „aresztowali" pracowników. Być może prowokacja by się udała, gdyby Niemcy wiedzieli, że mikrofony znajdują się w starej radiostacji, oddalonej o cztery kilometry. Tutaj był tylko jeden, używany awaryjnie w czasie burzy, z którego udało się wyemitować zamiast kilkuminutowej odezwy zaledwie słowa: *Uwaga, tu Gliwice, radiostacja znajduje się w rękach polskich...*, po czym mikrofon zamilkł. Ofiarą prowokacji padł jednakże autentyczny śląski powstaniec Franciszek Haniok, którego aresztowano, ubrano w powstańczy mundur i zastrzelono w radiostacji, aby stanowił dowód jakoby „polskiej prowokacji".

W Gliwicach zachowało się
wiele kamienic z okresu secesji

GLIWICKA SECESJA – I INNE ZABYTKI

Wojna obeszła się łaskawie z Gliwicami – przecież były niemieckie, więc po co je niszczyć – za to radzieckie wyzwolenie przyniosło szkody ogromne. Ale to, co ocalało, pozostaje nadal chlubą miasta. Wystarczy się przejść główną jego arterią, czyli ulicą Zwycięzców, żeby zachwycić się pięknie odrestaurowanymi kamienicami z końca XIX i początku XX wieku, a więc głównie secesyjnymi. Zaprojektowane z fantazją elewacje, bujna dekoracja, inkrustacje białą lub kolorową glazurą, wyrafinowane obramowania okien, balkony i baniaste dachy to świadectwo historii i zamożności miasta. Szkoda, że w gorszym stanie znajdują się kamienice na ulicy Krzywej, uważane za klejnot gliwickiej secesji, z najpiękniejszymi chyba na całym Śląsku kratami w drzwiach, ale fantastyczne przykłady tego stylu inkrustują też ulice Częstochowską, Lipową, Kościuszki, Jana Śliwki, Daszyńskiego, Gorzołki. Warto opracować specjalny przewodnik opisujący tę wyjątkową trasę, bo to naprawdę chluba miasta.

Są jednak w Gliwicach i inne, godne polecenia zabytki. Zacznę od tego, co mieni się dziś Zamkiem Piastowskim, ale gdzie był zamek prawdziwy – dokładnie nie wiadomo. Ten ma wprawdzie godną, gotycką metrykę, bo sięga XIV wieku, kiedy połączono ścianą

kurtynową dwie baszty murów obronnych, ale – wielokrotnie przebudowywany – do 1945 r. funkcjonował jako Dwór Certycza, od
nazwiska XVI-wiecznego dzierżawcy miasta. Tak czy inaczej – dzisiaj
nosi nazwę „Piastowski" i jest godną odwiedzenia filią Muzeum
w Gliwicach. A w nim – ciekawe kolekcje: archeologiczna, histo-
ryczna i etnograficzna.

Dzieje miasta uzupełniają zbiory eleganckiej Willi Caro wznie-
sionej w latach 80. XIX wieku przez Oscara Caro, gliwickiego prze-
mysłowca, właściciela huty „Hermina" w Łabędach. Willa, aczkolwiek z czasem przerabiana przez kolejnych właścicieli, zachowała
wdzięk rezydencji palladiańskich, a także oryginalne, bogato zdobione stropy, boazerie i parkiety. To świetna scenografia do ekspozycji wnętrz mieszkalnych z epoki, aczkolwiek znalazły się tu też
zbiory etnograficzne, kolekcja fotografii, czasem sztuka współczesna, dla której publicznej siedziby – mówiąc między nami – brak
w Gliwicach, choć stara się tę lukę uzupełnić pełna pomysłów Sta-
cja Artystyczna Rynek wspierana energią Wiesławy Barańskiej.

Fontanna z trzema tańczącymi
faunami przed Urzędem Miejskim

poniżej
Gliwicka palmiarnia

Wieża kościoła
Wszystkich Świętych

po prawej
Wnętrze kościoła
Wszystkich Świętych

Skoro jesteśmy przy rynku – nie sposób nie wspomnieć ratusza. Przed kilku laty miałam w nim wystawę „Uśmiech świata", tym bardziej jestem więc zobowiązana. Jego przodek stał tu już podobno w XIII wieku, obecny ma rodowód XIV-wieczny, ale klasyczną formę uzyskał już w wieku XX. Dziś to siedziba Pałacu Ślubów, ale i rajców miejskich.

Na odpoczynek zapraszam do Palmiarni, to także chluba Gliwic. Już od 1880 r. istniała tu prywatna oranżeria, w roku 1925 powstał nowy gmach, a w nim ciekawa kolekcja tropikalna i pustynna (sukulenty), jak również dział roślin użytkowych i historycznych. Pachnąco, kolorowo, egzotycznie, a wszystko to w parku im. Fryderyka Chopina, też bardzo przyjaznym.

WSTĄP DO KOŚCIOŁA!

Wierzysz, nie wierzysz – wstąp, bo gliwickie świątynie to też pomniki historii. Ujęła mnie najbardziej architektura starego kościoła św. Bartłomieja, a jest także nowy pod tym samym wezwaniem. Stary wygląda na jeszcze starszy niż jest, wydał mi się romański, ale w obecnej formie, choć nieco przebudowany w następnym stuleciu, powstał w XV wieku. On ma po prostu duszę, której wydaje się brakować neogotyckiemu następcy. Na szczęście, mimo XX-wiecznej renowacji, tradycyjny klimat przetrwał też w kościele p.w. Wszystkich Świętych z XV stulecia. Z tego też czasu zachowały się w nim resztki gotyckiej polichromii, wspaniałe sklepienia gwiaździste i sieciowe, a wczesnobarokowe wyposażenie wnętrza, w tym piękny ołtarz główny, też są porządnej klasy.

Ponieważ interesuje mnie szczególnie budownictwo drewniane, udałam się na gliwicki cmentarz zwany Starokozielskim, by zobaczyć kościół p.w. Wniebowzięcia NMP, a to głównie z uwagi na jego dramatyczną historię.

Zbudowano go w końcu XV wieku, ale nie w Gliwicach, tylko w Zębowicach. Podczas III powstania śląskiego przeszył go pocisk artyleryjski, który wpadł od strony ołtarza głównego i przeleciał do organów; z poprzecznej belki wydobyto go dopiero podczas rozbiórki. W roku 1911 wybudowano nowy, murowany kościół i staruszek stał się niepotrzebny. Ale los mu sprzyjał, bowiem w 1925 r. zakupiły go Gliwice i przeniosły na ów cmentarz. Stał tu sobie, stał – i niszczał. W 1989 r. miasto postanowiło go odbudować, czyli najpierw do cna rozebrało, a potem złożyło od nowa. Konsekrowany w 2000 r. pełni obecnie funkcję parafii, a zdobi go nie tylko barokowy ołtarz główny, ale także XVIII-wieczne polichromie. Warto zobaczyć, nie ma jednak porównania z drewnianym kościółkiem w Żernicy nieopodal Gliwic, oczywiście na korzyść tego drugiego. Też się chylił ku upadkowi, ale w latach 2001-2008 pod-

Wśród eksponatów Willi Caro
można zobaczyć historyczne
zbroje samurajów

po prawej
Drewniany kościół p.w.
Wniebowzięcia NMP na
cmentarzu Starokozielskim

następne strony
Gabinet w Willi Caro

poniżej
Zamek Piastowski

jęto prace konserwacyjne i teraz jest to prawdziwa perła śląskiego szlaku architektury drewnianej. Zachowało się w nim co nieco gotyku, ale wystrój jest przede wszystkim wczesnobarokowy, piękny ołtarz główny, ambona, wspaniała, pokrywająca prawie całe wnętrze polichromia. Rewelacja, a mało kto wie o tym zabytku.

GLIWICKIE WAMPIRY

Zanosi się na to, że Gliwice będą miały wkrótce nową atrakcję. Oto w połowie 2013 r., podczas budowy Drogowej Trasy Średnicowej natrafiono na niezwykłe 42 pochówki, prawdopodobnie średniowieczne. Ciała zmarłych, pozbawione wszelkich ozdób, mają obcięte głowy, które zostały umieszczone pomiędzy nogami, aby zmarli nie mogli ich dosięgnąć i wydostać się z grobu. Był to jeden ze sposobów – powiadają specjaliści – w jaki chowano niegdyś ludzi oskarżanych o wampiryzm, obok przebijania ich piersi kołkiem z osiki albo chowania twarzą do ziemi. Gdyby ta hipoteza się przyjęła – bo zakłada się też, że mogli to być skazańcy – Gliwice miałyby jakby zwielokrotnionego Draculę! Tak czy inaczej, to odkrycie stało się naukową sensacją. Może wkrótce „gliwickie wampiry" można będzie oglądać na ekspozycji w Zamku Piastowskim...

KTO MA TYCHY,
TEN NIELICHY

Wieża kościoła św. Ducha
w Tychach

po prawej
Stanisław Niemczyk zaprojektował kościół i klasztor franciszkanów na wzór Asyżu

Najpierw był tu nielichy ród Promnitzów, który posiadał Tychy od XVI wieku, choć należałoby wspomnieć, że ich obszar był zasie-dlony przed naszą jeszcze erą, a kamienne zgrzebło, jakie tam zna-leziono, pochodzi sprzed 100 tysięcy lat! Dzieje pisane to jednak dopiero rok 1467, kiedy po raz pierwszy wspomniano o Tychach w protokolarzu miasta Pszczyna i nic w tym dziwnego, bo z księ-stwem pszczyńskim były związane przez wieki. To Promnitzowie z Pszczyny założyli w Tychach Browar Książęcy, wymieniony już w 1613 r., który w XIX wieku przeszedł wraz z włościami we włada-nie książąt Hochbergów, a dzisiaj jest największym wytwórcą piwa w Polsce. Też nielicho!

MIASTO OD A DO Z

Co było, to było, miastem stały się jednak Tychy dopiero 1 stycznia 1951 r. Przyłączono do niego okoliczne wsie, które stały się dzielnicami, i zaczęto budować nowe osiedla, które miały być sypialnią Górnośląskiego Okręgu Węglowego, a zwłaszcza Katowic. Nie obyło się bez dramatów, trzeba było bowiem wywłaszczyć wie-le rodzin, aby zrealizować ambitne socjalistyczne zamierzenie prze-kształcenia gminnej wsi w stutysięczne miasto. Osiedla nie miały nazw własnych – pierwsze oznaczono jako A, następne kolejnymi literami alfabetu aż do Z. Potem litery próbowano zastąpić rozpo-czynającymi się od nich imionami kobiet – ale to się nie przyjęło. Nie były to typowe blokowiska, do ich projektowania zapraszano wybitnych architektów, generalnymi projektantami byli Kazimierz Wejchert i Hanna Adamczewska-Wejchert. Każde osiedle wyposa-żono w przedszkola, szkoły, domy kultury o szczególnie ciekawej architekturze i dekoracji. Budynki usytuowane wokół centralnego placu ozdobionego rzeźbami miały a to attyki, a to mozaiki, a to *sgraffiti*, nawiązujące do stylów historycznych. Proszę się przyjrzeć choćby osiedlu A, którego urbanistykę i architekturę zaprojekto-wał Tadeusz Teodorowicz-Todorowski. Dziś jest to wart szczegól-nego zadania skansen ambitnego budownictwa z czasów PRL-u. Ale i inne osiedla zasługują na uwagę, wiele budynków zdobyło cenne nagrody architektoniczne. Podobała mi się siedziba byłego Klubu Górniczego NOT, Teatr Mały, gmachy szkół, poczty, urzędu

W kościele św. Ducha znajdują się wspaniałe ikony Jerzego Nowosielskiego

miejskiego. Pięknie wygląda odnowiony plac Baczyńskiego (dawniej Bieruta). Wszystkie te obiekty są dobrym świadectwem swego czasu, podobnie jak otwarty w 2004 r. przez znanego bioenergoterapeutę TadeuszaCeglińskiego hotel „Piramida", który stał się już ikoną miasta.

KOŚCIOŁY – TEŻ CHLUBĄ MIASTA

Tychy mają tylko jeden stary kościół – w czasach wiejskich więcej nie było potrzeba. To murowana, barokowa świątynia p.w. św. Marii Magdaleny wzniesiona w 1782 r. na miejscu drewnianych poprzedniczek.

Ale nie ona zadecydowała, że Tychy – tak uważam – mają najlepszą architekturę sakralną w całym kraju. Myślę o architekturze nowoczesnej, która gdzie indziej jest na ogół, grzecznie mówiąc, nieciekawa. Najpierw, w 1957 r., powstał (a potem długo stał na pustym polu, zanim miasto go nie ogarnęło) kościół p.w. św. Jana Chrzciciela. Jego ukośna, przeszklona sylweta wydała mi się raczej świecka, ale projektant świątyni Zbigniew Weber zdołał ją uduchowić namalowanym własnoręcznie nad ołtarzem ogromnym wizerunkiem Ukrzyżowanego.

Kolejna realizacja to kościół p.w. Ducha Świętego. Nie waham się określić go mianem arcydzieła, dla którego po raz pierwszy przed laty specjalnie wybrałam się do Tychów. Chciałam zobaczyć

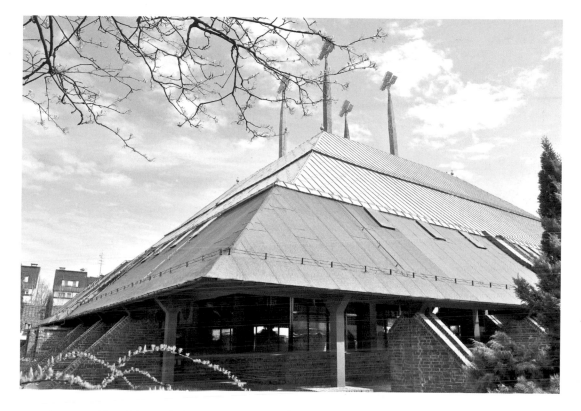

Kościół św. Ducha w Tychach, wspaniałe dzieło Stanisława Niemczyka

przede wszystkim dekorację jego wnętrza – malowidła-ikony Jerzego Nowosielskiego; kiedy w 1987 r. odwiedziłam go w krakowskiej pracowni, malował właśnie krzyż dla Tychów, już ostatni element ołtarzowego wystroju. Na miejscu zachwyciły mnie także inne dzieła – wielka ikona Marii Orantki, sceny z Przemienienia Pańskiego i Ukrzyżowania, figury świętych i proroków. Były niezwykle spójne z architekturą, która zaskoczyła mnie najbardziej. Jej autor, Stanisław Niemczyk (zwany „polskim Gaudim") stworzył oryginalne dzieło nawiązujące zarówno do wczesnochrześcijańskiego namiotu, jak i do dawnego sakralnego budownictwa drewnianego. Kształt namiotu sugeruje ogromna płaszczyzna zielonego dachu, na którym twórca umieścił cztery krzyże i latarnię-świetlik, kierujący symbolicznie światło na ołtarz niczym promienie Ducha Świętego. Świątynia ma dwa poziomy: górny to duża przestrzeń (240 m^2) bez żadnych podziałów. Za realizację tego przedsięwzięcia Stanisław Niemczyk otrzymał wiele prestiżowych nagród, także od Komisji Episkopatu Polski, choć zrazu władze kościelne nie chciały projektu zaakceptować. Zarówno on, jak i konstruktorzy Jerzy Maniura i Janina Osoba pracowali bezpłatnie, z pomocą emerytów i wolontariuszy. Nad wszystkim czuwał ksiądz Franciszek Rosiak.

Niesamowita historia.

Fontanna na rynku w Tychach

po prawej
Hotel „Piramida"
stał się już ikoną Tychów

poniżej
Rynek w Tychach

Nagrodę otrzymał również poświęcony w 1996 r. kościół św. Maksymiliana Kolbe. Twórcami jego powściągliwej architektury są Bożena i Janusz Włodarczykowie. Kościół św. Karoliny (architekt Grzegorz Ratajski) zwraca uwagę swoją ekumeniczną formą, która zdaje się łączyć katolicyzm z prawosławiem a nawet – wydaje mi się – z islamem.

Na tym nie koniec sakralnej odwagi w architekturze. Oto jest w budowie niesamowity kościół i klasztor franciszkanów, zaprojektowany przez Stanisława Niemczyka na wzór sławnych budowli w Asyżu, dlatego już teraz nazywa się Tychy „małym Asyżem". Kościół jest budowany z kamienia na planie krzyża łacińskiego z pięcioma wieżami, które wyrastają z ran Chrystusa, najwyższa – z serca. Architektoniczne szaleństwo nawiązujące do tradycji i bardzo współczesne zarazem. Także szaleństwo pracy: sama widziałam z wyższej wieży, jak o. franciszkanin Wawrzyniec Jaworski przykłada na niższej wieży kamień do kamienia. Budowa wkroczyła w czternasty rok, chyba do końca już jej niedaleko.

Tyski Browar Książęcy ma tradycję prawie czterech wieków

po prawej
Tyski Browar Książęcy wchodzi w skład Kompanii Piwowarskiej, największego producenta piwa w kraju

ZAMECZEK MYŚLIWSKI

Ale wróćmy do dawniejszych dziejów, o których opowiadają przyłączone do Tychów Promnice z legendarnym zameczkiem myśliwskim. Pierwszy dwór, według projektu Jana Jahne z Żar, wzniósł tutaj ostatni potomek Promnitzów, Jan Adam, w latach 1760-1766. Budowla nie była jednak godna arystokratycznych zamierzeń kolejnego właściciela, księcia pszczyńskiego Henryka XI Hochberga, który w połowie XIX wieku wystawił tu myśliwską rezydencję. Głównym budowniczym mianował Olivera Pavelta, tego samego, który rozbudował Browar Książęcy w Tychach. Zameczek spłonął w 1867 r., ale że był dobrze ubezpieczony – już za rok go odbudowano. Polowali tu ponoć znakomici panowie, a wśród nich Fryderyk I Hohenzollern król Prus, Wilhelm II cesarz Niemiec i Aleksander II car Rosji. Najbardziej znaną postacią związaną z zameczkiem była żona Henryka Hochberga, najpiękniejsza – powiadano – kobieta XIX wieku, księżna Daisy zwana „Stokrotką", która wolała leśne zacisze Promnic od hucznego życia na zamku w Pszczynie. Ponieważ dziś zameczek jest ekskluzywnym hotelem, można tu nawet, sięgając głęboko do kieszeni, wynająć luksusowy apartament księżnej.

BROWAR KSIĄŻĘCY

Dochody Pszczyny, a pośrednio również i Promnic, pochodziły w znacznej mierze – bywało, że nawet w jednej trzeciej – z zysków czerpanych z piwa, przede wszystkim z tyskiego Browaru Książęcego.

Zrazu piwo warzono na potrzeby dworu i karczm. Rozkwit książęcego piwowarstwa nastąpił jednak dopiero w XIX wieku, po przejęciu włości przez ród Hochbergów, kiedy to powstał w Tychach drugi browar i znacznie unowocześniono produkcję. W końcu stulecia był to już jeden z największych browarów w Europie. Dołączył doń w 1898 r. nowy Browar Obywatelski, który z czasem został wchłonięty przez Książęcy, a w 2001 r. zakończył żywot. A Browar Książęcy rozkwita także w naszych czasach: po sprywatyzowaniu połączył się w 1999 r. z browarem wielkopolskim Lech, później z białostockim Dojlidy i powstała Kompania Piwowarska, największy producent piwa w kraju. Nielicho!

W 2004 r., z okazji obchodów nieprzerwanego od 375 lat warzenia piwa, w Browarze Książęcym otwarto wspaniałe, multimedialne muzeum piwowarstwa nazwane Browarium. Zaprasza do niego sam książę Hochberg, przemawiając... z portretu. I ja też zapraszam do Tychów.

PODHALE?
DOSKONALE!

Nie ma wyjścia – mimo tłoku i smogu na Krupówkach do Zakopanego pojechać trzeba. I to nie tylko zimą, kiedy pora ku temu odpowiednia ze względu na narty. Zakopane to jednak stolica Podhala. Nie tylko turystyczna, ale przede wszystkim kulturalna.

Kto tu nie bywał! Zacznijmy od hrabiego Władysława Zamoyskiego, bo dzięki niemu mamy Zakopane, jako że w roku 1889 wykupił je na licytacji z rąk Magnusa Peltza i podarował narodowi. Nie mniej ważny, a może i ważniejszy, był Tytus Chałubiński, lekarz i taternik: to on z pięknej, ale skromnej wioski, której mieszkańcy utrzymywali się z wypasu owiec i wytopu w Kuźnicach nędznej jakości żelaza, uczynił modny kurort. Nic dziwnego, że nazywany jest „królem Tatr" i że znalazł się na zakopiańskim pomniku, tak jak i sławny bajarz Sabała, czyli Jan Krzeptowski, zwany „tatrzańskim Homerem".

Podhalański krajobraz

po prawej
Ołtarz główny z gotyckim tryptykiem w kościele św. Michała Archanioła w Dębnie
(przełom XV i XVI w.)

TUZY HISTORII I KULTURY

Nie miałoby jednak Zakopane swojego niepowtarzalnego charakteru, gdyby nie Stanisław Witkiewicz, twórca stylu zakopiańskiego, opartego na motywach architektury i zdobnictwa podhalańskiego. To on jest autorem „Koliby", dziś siedziby Muzeum Stylu Zakopiańskiego, willi Oksza, gmachu Muzeum Tatrzańskiego na Krupówkach, Domu pod Jedlami na Kozińcu i przepięknej kaplicy na Jaszczurówce, uważanej za syntezę jego stylu.

Pomieszkiwał też w Zakopanem syn Stanisława Witkiewicza, sławny Stanisław Ignacy Witkiewicz, czyli Witkacy, przebywali tu Stefan Żeromski, Maria Skłodowska-Curie, Helena Modrzejewska, Karol Szymanowski (odwiedźcie koniecznie jego muzeum w „Atmie"), Mieczysław Karłowicz, Kornel Makuszyński, Kazimierz Przerwa-Tetmajer, cały poczet znakomitych „ceprów", bez których trudno sobie wyobrazić polską kulturę. Przebywali tu wszyscy polscy laureaci nagrody Nobla. Historię tworzyły też miejscowe znakomitości, jak wspomniany już Sabała, Antoni Kenar, Antoni Rząsa, Władysław Hasior czy Tadeusz Brzozowski; udało mi się ich poznać – oczywiście poza Sabałą – a z Hasiorem i Brzozowskim przeprowadzić interesujące wywiady, opublikowane później w mojej książce „Polscy artyści w sztuce świata". Polecam także znakomite artystki

Góralska kapela z Podhala

poniżej
Takie stogi można już zobaczyć tylko na Podhalu. Coraz rzadziej

malujące na szkle, spośród których najprzedniejszą mistrzynią jest Ewelina Pęksowa.

To przodek pani Eweliny, Jan Pęksa, podarował grunt pod cmentarz zwany dziś „Na Pęksowym Brzyzku", na którym co chwila napotykamy ślady historii. Są tu pochowani ludzie najbardziej zasłużeni dla Zakopanego, a wśród nich oczywiście Tytus Chałubiński, Sabała czy Stanisław Witkiewicz.

GÓRY TONĄCE W KOLORZE

No i jak tu nie pojechać do Zakopanego? Jeżeli jednak nie kuszą Was narty (można wybrać się na nie na przykład do Białki, a ośnieżone Tatry podziwiać z Głodówki lub Szymkówki) – radziłabym odłożyć tę wyprawę do wiosny, kiedy hale pokryte są dywanami krokusów. Albo na jesień, jest tu wtedy bowiem bajecznie kolorowo, prawie jak w Bieszczadach. I oczywiście mniej tłoczno.

Jeśli jednak jest się już w Zakopanem albo w spokojniejszej Bukowinie Tatrzańskiej czy też w uroklivym Murzasichlu, to niezależnie od pory roku można traktować te miejsca jako znakomity punkt wypadowy do poznawania okolicy. A jest co oglądać, zapewniam, że są tu zabytki ciekawsze i bardziej oryginalne niż w wielu krajach świata – wiem, co mówię.

OBJAWIENIE ANIOŁA

Najsławniejsze i najbardziej znane jest Dębno z kościołem św. Michała Archanioła. To arcydzieło architektury drewnianej zostało docenione przez UNESCO, które wpisało je na swoją Listę

Światowego Dziedzictwa Kultury. Kościół, zbudowany z drewna jodłowego i modrzewiowego, według legendy ufundowali wszechobecni niegdyś na Podhalu zbójnicy, którym ukazał się patron świątyni w gałęziach rozłożystego dębu – stąd nazwa wioski. Zbójników stać było na budowę, ale górale nie mieli pieniędzy na remonty ani modne przeróbki, dlatego też, dzięki biedzie – powiedział mi proboszcz Józef Milan – zabytek o rodowodzie z połowy XV wieku (ale i z wcześniejszymi odniesieniami) przetrwał do naszych czasów w nienaruszonym prawie kształcie artystycznym.

Kościół w Dębnie (XV w.), arcydzieło architektury drewnianej

Wnętrze świątyni – sufit, ściany, belkę tęczową, chór muzyczny, a nawet ambonę – zdobi zachwycająca polichromia patronowa, czyli odciskana za pomocą drewnianych lub skórzanych szablonów, datowana na około 1500 r. Krucyfiks, lewy ołtarz boczny, tabernakulum i figura św. Mikołaja są o wiek starsze, pochodzą z poprzedniego kościoła. W ołtarzu głównym, osadzonym ponoć na pogańskim głazie rytualnym – przepiękny tryptyk gotycki (XV/XVI wiek) ze Świętą Rozmową w części środkowej. Z ciekawostek – fragment chorągwi wotywnej, ofiarowanej podobno kościołowi przez Jana III Sobieskiego, kiedy wracał ze zwycięskiej bitwy pod Wiedniem, jednak dokumenty nie potwierdzają królewskiej wizyty w Dębnie.

„Święta Rodzina" – obraz
z kościoła św. Anny
w Nowym Targu. Kopia obrazu
z 1516 r. Oryginał przeniesiono
do kościoła parafialnego
św. Katarzyny

poniżej
XV-wieczny drewniany kościół
św. Anny, najstarsza budowla w
Nowym Targu

U TISCHNERA

Piękny drewniany kościółek konsekrowany w 1505 r., ze śladami polichromii patronowej i cennym gotyckim tryptykiem w ołtarzu głównym znajduje się także w Łopusznej. Warto zajrzeć do wioski również dlatego, że wychowywał się w niej znamienity ksiądz, „filozof po góralsku", Józef Tischner, którego rodzice byli tu nauczycielami. Dziś jego imię nosi obszerny dom kultury. Nieopodal niego stoi piękny dworek Tetmajera, siedziba Muzeum Kultury Szlacheckiej.

Kolejny drewniany kościółek gotycki znajdziecie w Harklowej. Wzruszyły mnie w nim dwa oryginalne portale, ale tryptyk w ołtarzu głównym też pochodzi z epoki gotyku, podobnie jak resztki polichromii. Tryptyk z kaplicy cmentarnej w Starych Maniowach został przeniesiony do Muzeum Diecezjalnego w Tarnowie, sama świątynia pod wezwaniem św. Sebastiana też zmieniła miejsce, jako że teren, na którym się znajdowała, przeznaczono na sztuczny zbiornik zwany Zalewem Czorsztyńskim. Teraz to XVIII-wieczne dzieło architektury drewnianej można obejrzeć w nowej wsi Maniowy, przeniesionej kilka kilometrów wyżej w stosunku do poprzedniej lokalizacji.

DIABELSKI NIEDŹWIEDŹ

Skoro jesteśmy na szlaku sakralnym – nie sposób pominąć na Podhalu Grywałdu, konkurującego urodą z samym Dębnem. Polichromia wnętrza (1618 r.) drewnianego kościółka z XV wieku zachowała się wprawdzie w nienajlepszym stanie, ale anonimowy artysta przedstawił na niej oprócz wici ornamentalnych także sceny figuralne. Najbardziej podobała mi się ta z Sądem Ostatecznym: św. Michał Archanioł strąca na niej do piekła szatana wyobrażonego w postaci niedźwiedzia! Widać niedźwiedzie były w owym czasie na Podhalu prawdziwym zagrożeniem. W ołtarzu głównym wspaniały późnogotycki tryptyk, na którym patron kościoła, św. Marcin, obcina sobie połę płaszcza, aby obdarować nią zziębniętego biedaka. W bocznym – piękna Madonna z Dzieciątkiem, z którą konkuruje smutnym wdziękiem Matka Boża Różańcowa na południowej ścianie nawy.

Fragment polichromii (1618) z kościoła św. Marcina w Grywałdzie

PIERWSZY OBRAZ TATR

Pominę Sromowce Niżne, bo mi ksiądz tak ciekawego ponoć kościółka drewnianego nie otworzył, ale może Wam ulegnie; zachęcam za to do odwiedzenia Trybsza i Orawki, choć to już nie Podhale, lecz Spisz i Orawa. Świątynie w tych wioskach rzadko bywają odwiedzane, choć bezsprzecznie są tego wielce godne, więc szczerze namawiam.

W Trybszu – fantastyczna wczesnobarokowa (1647 r.) polichromia stropów i ścian. Główny temat – Wniebowzięcie i Koronacja Matki Bożej, ale też mnóstwo innych scen figuralnych z Sądem Ostatecznym na tle panoramy Tatr, co jest ponoć najstarszym

Kościół św. Marcina
w Grywałdzie

wyobrażeniem tych gór w sztuce. Polichromia w Orawce, o trzy czwarte wieku młodsza, ma również wartość dokumentalną, na parapecie chóru muzycznego znajdują się bowiem personifikacje przykazań, których bohaterowie ubrani są w stroje chłopskie z epoki, poza jednym, tym z przykazania „nie cudzołóż!" – ten nosi szaty szlacheckie!

ZAMKI PEŁNE TAJEMNIC

Przejdźmy jednak z *sacrum* do *profanum*, które też zachęca do zwiedzania Podhala i okolic. Teraz czas na kobiety, więc wybierzmy się do Czorsztyna, tak malowniczo położonego w Pieninach, bo z białogłowami – jak to się drzewiej mawiało – zamek także jest związany. Dzisiaj to tylko ruina, ale za czasów Kazimierza Wielkiego był on pewnie dostatecznie wygodną rezydencją, skoro król ukrywał w nim – powiada legenda – ukochaną Esterkę. Na tymże zamku witano ponoć królową Jadwigę przybywającą do Polski na ślubny kobierzec, tu także Władysław Warneńczyk miał się żegnać z matką.

Położony naprzeciw Czorsztyna zamek w Niedzicy, pięknie odbijający się w wodach jeziora, też szczyci się historią związaną z kobietą, a pochodziła ona z kraju bardzo mi bliskiego, czyli Peru. Owa dama o imieniu Umina była córką peruwiańskiej Indianki szlacheckiego rodu i Węgra Sebastiana Berzeviczego, do którego rodziny należała w owych czasach (czyli w XVIII wieku) Niedzica. Umina poślubiła Tupaca Amaru, bratanka Tupaca Amaru II, przywódcy indiańskiego powstania przeciwko Inkom, potomka ostatniego ich władcy o tym samym imieniu. Młoda para nie czuła się widać w Peru bezpiecznie, skoro postanowiła uciec do Europy. W Wenecji został zamordowany Tupac Amaru; Uminie udało się wprawdzie dotrzeć do Niedzicy, ale i ją zasztyletowano wkrótce na dziedzińcu zamku. Ocalał jedynie jej syn Antonio. Dziadek Sebastian, aby go ochronić, doprowadził do adopcji wnuka przez Wacława Benesza. Ród został przedłużony, skoro bodaj w 1974 r. poznałam potomka Antonia, wówczas wicemarszałka sejmu, Andrzeja Benesza. To właśnie on – opowiadał mi – znalazł pod bramą zamku tubę ze skórzanym pismem węzełkowym *kipu* (to dziwne – na ogół zawiązywano węzełki na sznureczkach z bawełny lub wełny) i złotymi blaszkami z napisem *Vigo* i *Titicaca*. Sugerowało to, jakoby w jeziorze Titicaca znajdował się zatopiony skarb Inków.

Galeria obrazów na szkle Eweliny Pęksowej

poniżej
Willa „Koliba" zaprojektowana przez Stanisława Wirkiewicza. Mieści się w niej Muzeum Stylu Zakopiańskiego

Grób Antoniego Kenara na cmentarzu na Pęksowym Brzyzku w Zakopanem

poniżej
Główna ulica w Chochołowie. Przed Wielkanocą myje się tu wszystkie ściany

Jeśli jest skarb – to trzeba go odnaleźć. Andrzej Benesz był także szefem Stronnictwa Demokratycznego, a więc pracy miał bez liku, znalazł jednak czas, aby solidnie przygotować się do wyprawy: studiował archeologię, ukończył kurs nurkowania, nawiązał kontakty z zamorską rodziną. Twierdził też, że zgłosili się do niego ludzie stamtąd (z Peru albo Ekwadoru, już nie pamiętam), którzy ofiarowywali mu za *kipu* pięć tysięcy dolarów, a była to w owych czasach suma dla Polaka niewyobrażalna. Nie zgodził się, sam chciał szukać skarbu, ale 28 lutego 1976 r. zginął w tajemniczym – powiadano – wypadku samochodowym.

Wierzyć – nie wierzyć? Dziś nie wiadomo, gdzie znajduje się *kipu* i czy w ogóle istniało, a podczas wyprawy w głębiny jeziora Titicaca nie odkryto żadnych skarbów. Tak czy inaczej – do Niedzicy pojechać warto, bo to nie tylko ciekawe, ale i przepiękne miejsce.

CHATY NA BŁYSK

Z Niedzicy blisko już do Frydmana, który też należał kiedyś do Berzeviczych. Zachowany zamek, niegdyś renesansowy, po przeróbkach stał się niezbyt ciekawy, za to piwnice, w których

w XIX wieku przechowywano wino, mogłyby stać się atrakcją turystyczną. Na każdym z dwóch pięter mają trzy korytarze o długości
stu metrów, a że należą do trzech rodzin – trzeba prosić o pozwo
lenie na wejście. Mam nadzieję, że piwnice są już uporządkowane
– kiedy zwiedzałam je przed kilku laty, były brudne, pełne wody,
ciemne, mało sobie nogi nie skręciłam. Skoncentrowałam się zatem na zwiedzaniu (murowanego tym razem) kościoła św. Stanisława, najstarszego ponoć na szeroko pojętym Podhalu, z przełomu XIII i XIV stulecia, chociaż jego patron został przedstawiony
w stroju z XVIII wieku!

Owce pasące się na hali

na górze
Panorama Tatr z Głodówki

Jeszcze, proszę, nie omińcie Chochołowa. Warto odwiedzić tę
wieś w powiecie nowotarskim nie tylko ze względu na historyczne konotacje: tu właśnie miejscowi górale wywołali w 1846 r.
tragiczne w skutkach powstanie przeciwko Austriakom. Chocho-
łów – zobaczycie – to przepiękna wioska, w której ponad sto chat
z drewnianych bali wpisano do rejestru zabytków. Chaty pochodzą
w większości z XIX wieku, ale bywa, że i z XVIII – różnią się nieco dekoracją i uszczelniającymi warkoczami ze słomy. Wyglądają bardzo
świeżo, nie widać po nich wieku, takie są czyste i zadbane. A wiecie,
dlaczego? Otóż przed Wielkanocą i Bożym Ciałem właściciele pu-
cują tu zewnętrzne ściany wszystkich chat wodą z mydłem. Może
warto upowszechnić ten zwyczaj także w innych regionach naszego
kraju?...

NA ZIEMI I POD
ZIEMIĄ

Fontanna z pomnikiem kuszniczki
w Niepołomicach

po prawej
Dziedziniec Zamku Królewskiego
w Niepołomicach

Na ziemi – to Niepołomice, pod ziemią – nieodległa od nich Wieliczka, choć w niej i po ziemi warto się rozejrzeć. Miejsca kultowe: Wieliczka rozsławiona przez odwieczne żupy solne, Niepołomice mniej zakodowane w naszej świadomości, a przecież na to jak najbardziej zasługują. Oba miasta niedaleko od Krakowa i stamtąd do obydwu dojechać najłatwiej.

KRÓLEWSKA PUSZCZA

Kto wie, czy nie tam właśnie zamieszkiwali nasi pierwsi praprzodkowie. Puszcza była przyjazna, a nawet niezbędna człowiekowi, dostarczała mu bowiem leśnych owoców, drewna, a przede wszystkim zwierzyny, której było tam w bród. Przed bitwą grunwaldzką urządzono właśnie w Puszczy Niepołomickiej wielkie polowania, aby zaopatrzyć w mięsiwo wyruszające do boju rycerstwo. Królowi Władysławowi Jagielle przypominała puszcza ukochane bory litewskie, nic więc dziwnego, że lubił przebywać w Niepołomicach, gdzie słuchał śpiewu ptaków i zasadzał się na grubego zwierza. A polowano tam wówczas na tury, żubry, łosie, nawet niedźwiedzie, nie gardząc także taką drobnicą jak sarny, jelenie, dziki i zające. Wszyscy polscy królowie, poczynając od Piastów, a na Stanisławie Auguście Poniatowskim kończąc odwiedzali niepołomicką puszczę przede wszystkim gwoli myśliwskich swawoli. Obok turniejów rycerskich polowania dostarczały polskim panom najwięcej adrenaliny. W dokumentach zachowały się wzmianki o królewskich sukcesach. Oto Kazimierz Jagiellończyk ubił w 1469 r., i to podczas jednego tylko polowania, tyle zwierza, że mógł nim obdzielić nie tylko swoich największych dostojników, ale także biskupów, kapitułę krakowską, a nawet akademię i rajców. Być może największe trofea myśliwskie należą się jednak Augustowi II Sasowi, który – pewnie wraz z orszakiem – zabił w ciągu trzech dni trzy łosie, 17 jeleni, 33 dziki, 88 saren, 12 wilków, 32 lisy, dwa rysie, trzy żbiki, a nadto mnóstwo pomniejszej zwierzyny.

KRÓLOWE I PUSZCZA

Opowiadano mi też w Niepołomicach o polskich królowych, które wraz z mężami przebywały w puszczy, a przynajmniej w nie-

Kapliczka w niepołomickim parku

poniżej
Zamek Królewski
w Niepołomicach

połomickim zamczysku. Królowa Jadwiga polowała ochotnie, z własną sforą psów myśliwskich i towarzyszącą jej drużyną, ale legenda głosi, że ta dobra pani, która została później świętą, interesowała się przede wszystkim losem niepołomickich poddanych i starała się im ulżyć. Lubiła te okolice Barbara Radziwiłłówna, z którą Zygmunt August przeżył tu ponoć najszczęśliwsze chwile, ale wątpię, żeby stan zdrowia pozwolił jej brać udział w polowaniach; raczej tylko towarzyszyła mężowi. Za to jej znienawidzona teściowa, królowa Bona, która w Niepołomicach właśnie zakładała pierwsze w Polsce ogrody z włoszczyzną, nie stroniła od puszczy, lecz przeżyła w niej kto wie, czy nie największą swoją tragedię. Oto gwoli królewskiej uciesze sprowadzono z Litwy do niepołomickich borów ogromnego niedźwiedzia, który wyrwał się łowczym, poturbował wielu myśliwych, nawet Stańczyka, i popędził na brzemienną królową. Jej koń się potknął i nieszczęsna Bona poroniła, wydając na świat przedwcześnie chłopca, którego zwłoki złożono w niepołomickim kościele.

DRUGI WAWEL

Niepołomice otrzymały prawa miejskie dopiero w1778 r., ale dużo wcześniej uważano je za drugie po Krakowie ważne miejsce w Małopolsce. Nic dziwnego – tak zwana Królewska Droga łączyła je z Krakowem, a niepołomicki zamek porównywano z Wawelem. Zamek wzniósł oczywiście Kazimierz Wielki. W części, tej dla służby, był drewniany, lecz poza tym, jak na owe czasy – okazały. Ka-

Pomnik Stańczyka na dziedzińcu
Zamku Królewskiego

na górze
Neogotycki ratusz
w Niepołomicach

zimierz Wielki pan to był dobry, bywało, że chodził – jak powiada
legenda – w biednych szatach, aby poznać los swych poddanych.
Kiedy jeden z nich, nędzarz, zaprosił go na ojca chrzestnego swego
syna – nie odmówił, a po tygodniu pojawił się u zdumionego chło-
pa z królewskim orszakiem, nadając chrześniakowi zasobne włości,
które stanowią dziś przysiółek Świdowa.

Kolejni królowie – Władysław Jagiełło, Zygmunt Stary – też dbali
o zamek przebudowując go i upiększając, ale świetność największą
zapewnił mu Zygmunt August, kiedy to – dzięki Tomaszowi Grzy-
male i znakomitemu włoskiemu architektowi i rzeźbiarzowi Santi
Gucciemu, którzy kierowali pracami – stał się wspaniałą siedzibą
renesansową. Nie tylko wyruszano stąd na polowania, ale odpra-
wiano też na zamku sądy, zwoływano zjazdy koronne, przyjmo-
wano koronowanych gości, a gdy w 1527 r. wybuchła w Krakowie
zaraza – schronił się tu cały dwór. Przeżył zamek też i złe chwile:
Szwedzi skrzywdzili go w okresie potopu, Austriacy w czasie zaborów urządzili w nim koszary i magazyny, Niemcy też go nie uszano-
wali. Świetność odzyskał dopiero w końcu ubiegłego wieku, kiedy
stał się formalnie własnością znanej z gospodarności gminy Niepo-

Niepołomicki kościół p.w. NMP
i Dziesięciu Tysięcy Męczenników
z kaplicą grobową, wspanialym
dziełem Santi Gucciego

poniżej
Wnętrze kaplicy grobowej
z nagrobkiem Branickiego

łomice. Dziś mieści się w nim hotel, centrum konferencyjne i muzeum, w tym przyrodnicze, którego myśliwskie trofea zdobywane współcześnie na całym świecie nie wywoływały w mojej wyobraźni wizji dawnych królewskich polowań. Wielkim przeżyciem była natomiast przeniesiona tu na czas remontu kolekcja stu cennych dzieł z Muzeum Czartoryskich. Można je jeszcze tam zobaczyć, więc dodatkowy to powód, dla którego do Niepołomic udać się warto.

DZIĘKCZYNNY CZY POKUTNY?

Skoro o kulturze mowa – zapraszam do kościoła p.w. NMP i Dziesięciu Tysięcy Męczenników, bo to świątynia ważna nie tylko z powodów religijnych. Śmiem twierdzić, że jeśli chodzi o wyposażenie, to zachowało się ono o wiele lepiej niż w łupionym wielokrotnie zamku. Autorstwo obu budowli było zresztą to samo: ufundował je Kazimierz Wielki. Jedni twierdzą, że kościół był wotum dziękczynnym po zwycięstwie nad Rusią, ale inni powiadają, że była to świątynia pokutna, jedna z tych sześciu, które monarcha musiał wznieść, by odkupić wspominaną już śmierć księdza Baryczki. Tak czy inaczej – niepołomicki kościół kazimierzowski to wspaniałe muzeum sztuki, do czego przyczynili się też późniejsi właściciele Niepołomic: Braniccy i Lubomirscy.

O gotyckiej świetności świadczy architektura kościoła, ale najlepiej jego zakrystia, w której zachowały się jedne z najstarszych w Polsce ściennych malowideł, a Jan Długosz pisał, że cała świątynia była niegdyś malowana. Arcydziełem jest tu jednak przede

Wnętrze kościoła p.w. NMP i
Dziesięciu Tysięcy Męczenników

wszystkim manierystyczna kaplica grobowa ufundowana przez
Jana Branickiego, dzieło wspomnianego Santi Gucciego, który podobną kaplicę wykonał także w niedalekich Bejscach dla rodu Firlejów. W Niepołomicach Santi Gucci przedstawił w bogato rozbu-
dowanym, zdobnym w stylizowane ornamenty roślinne nagrobku
klęczących małżonków Branickich, pomiędzy nimi Chrystus zmar-
twychwstały, a u jego stóp – niewierny Tomasz. Nagrobek został
wykonany z szarego kamienia, postacie wyrzeźbiono w czerwonym
marmurze, całość tworzy pełen harmonii zestaw formalny i kolo-
rystyczny. Byłam zachwycona, bo uwielbiam manieryzm, a Santi
Gucci był w Polsce jego nadwornym przedstawicielem.

Nie pomińcie także, proszę, kaplicy Lubomirskich z XVII wieku
p.w. św. Karola Boromeusza, też będącej dziełem Włocha, France-
sca Frapoli. Obraz świętego patrona namalowany przez Grespiego
przywiozła z Bolonii wojewodzina Branicka, a że ją ponoć uzdro-
wił – przeniosła go z zamku do niepołomickiego kościoła, gdzie też
jakoby czynił cuda. Tak czy inaczej – kaplica jest ciekawa przede
wszystkim ze względu na swoją architekturę, zarówno zewnętrzną,
jak i wewnętrzną, a że cała świątynia pełna jest smakowitych artystycznie szczegółów i ma wyjątkową atmosferę – gwarantuje też
wyjątkowe przeżycia. Także i miasto je zapewnia, bo jest schludne,
zadbane, widać, że ma dobrych gospodarzy; kiedy rozmawiałam
z mieszkańcami – chwalili ich, co nieczęsto się przecież zdarza.

Kościół św. Klemensa w Wieliczce

poniżej
Wnętrze kościoła św. Klemensa

WIANO ŚW. KINGI

Nie wiem, czy św. Kinga bywała w Niepołomicach, jako że za jej życia (1234-1292) zamek tam jeszcze nie istniał, a i o jej upodobaniu do polowania nic nie wiemy. Niedaleko jest jednak Wieliczka, z którą wiąże ją nie tylko legenda, lecz i historia. Legenda powiada, że gdy węgierska królewna została przyrzeczona polskiemu księciu Bolesławowi, nazwanemu później Wstydliwym, poprosiła, żeby nie dawano jej w posagu żadnych skarbów w złocie i klejnotach, a jedynie największą na Węgrzech kopalnię soli. Ojciec kochał, więc na to przystał, a Kinga wrzuciła do owej kopalni swój pierścień zaręczynowy, który odnalazła w pierwszej grudzie soli wykopanej w Wieliczce (chociaż Bochnia też się o swój udział upomina), bo całe jej solne wiano magicznym sposobem znalazło się w Polsce.

Tyle legenda, natomiast historia mówi, że królowa Kinga sprowadziła z Węgier znających się na wydobyciu soli górników, dzięki którym kopalnia w Wieliczce, w której warzono sól już od IX wieku, została – jakbyśmy to powiedzieli dzisiaj – zmodernizowana i znacznie zwiększyła produkcję.

WIELICZKA – CUDEM POLSKI

Relikwie św. Kingi znajdują się w wielickiej kopalni, w kaplicy jej imienia 101 metrów pod ziemią. Jest to największa na świecie świątynia podziemna, a zarazem sala koncertowa, w której występował między innymi wirtuoz skrzypiec Nigel Kennedy. Wszystko w tej kaplicy jest z soli – rzeźby św. Kingi oraz świętych Józefa i Klemensa w ołtarzu, płaskorzeźby w ścianach bocznych, pomnik Jana Pawła II, posadzka, a nawet żyrandole. Nasycone solą jest tu też powietrze, bardzo korzystne dla dróg oddechowych.

Kaplica św. Kingi znajduje się na podziemnej trasie turystycznej ustalonej już na przełomie XVIII i XIX wieku. Liczy ona trzy kilometry (wszystkie podziemne chodniki mają ponad 300 kilometrów!) i obejmuje 20 komór, kaplice św. Antoniego i św. Krzyża oraz przepiękne Muzeum Żup Krakowskich, prezentujące historię kopalni, miasta i oczywiście św. Kingę, tym razem na portrecie pędzla Jana Matejki. Rocznie zwiedza tę trasę ponad milion turystów, których liczba ciągle rośnie, bowiem Kopalnia Soli w Wieliczce, nieczynna już od 1996 r., nie tylko znajduje się na Liście Światowego Dziedzictwa UNESCO, ale w 2007 roku została okrzyknięta pierwszym z Siedmiu Cudów Polski.

Tak warzono sól

na górze
Na podziemnej trasie turystycznej w Wieliczce znajduje się wiele rzeźb wykonanych w soli

Święto soli, Wieliczka

po prawej
Kopalnia Soli „Wieliczka"

poniżej
Ucieczka do Egiptu – płaskorzeźba
w solnych podziemiach Wieliczki

ŚWIĘTO SOLI

Odwiedziłam Wieliczkę z okazji dorocznego Święta Soli w pierwszą niedzielę czerwca. Przebiegało ono pod hasłem „Chleb i sól zdobią stół", ale związane z nim wydarzenia koncentrowały się nie tyle na stole – choć w Muzeum Żup Krakowskich obejrzałam imponującą kolekcję solniczek – ile na dziedzińcu przed Zamkiem Żupnym, gdzie można było obejrzeć, jak w dawnych wiekach sól warzono, kruszono, jak ładowano ją na wozy, jak wytwarzano narzędzia i przedmioty związane z jej wydobyciem i przechowywaniem. Nie obeszło się także bez zabaw, konkursów, występów artystycznych, a nad wszystkim górował Zamek Żupny ze średniowieczną metryką, choć odnowiony w końcu ubiegłego stulecia. Miał bowiem dzieje tragiczne, miał też dni chwały, chociaż należał nie do władcy, a do żupnika. Nic dziwnego, że zarządzający kopalnią był tak ceniony, skoro w czasach Kazimierza Wielkiego, który zamek rozbudował i przyznał Wieliczce prawa miejskie, sól zapewniała jedną czwartą dochodów państwa! Korzyści z soli miała także parafia św. Klemensa: żupnik wypłacał proboszczom pensję, najpierw w soli, później w gotówce. Kościół św. Klemensa znajduje się nieopodal Zamku Żupnego. Trudno się dziś w nim dopatrzeć odległych dziejów, jako że pod gotyckim protoplastą znajdowała się część kopalni i na skutek prowadzonych w niej prac pękały mury świątyni; rozebrano ją w końcu XVIII wieku i na początku XIX stulecia powstał obecny kościół, ładnie wyposażony, warto do niego wstąpić. Warto też odpocząć po zwiedzaniu miasta w przyzamkowym, zadbanym parku i pomyśleć o tym, co łączy dwa opisane grody. A będzie to także wielicka sól, bo przecież Niepołomice, w myśl tegorocznego hasła Święta Soli, zdobiły nią swoje stoły przez wieki.

SZCZAWNICA
NAD GRAJCARKIEM

Brama do Szczawnicy wita
pucharem z kwiatów

po prawej
Spływ Dunajcem.
W tle masyw Trzech Koron

Skromny, ale bywa, że zuchwały potok Grajcarek dzieli Szczawnicę na dwie części i dwa pasma górskie. Po jednej stronie wznoszą
się malownicze Pieniny, po drugiej – urokliwy Beskid Sądecki. Jest
się gdzie stąd wybrać, ale i na miejscu, w tym coraz piękniejszym
mieście zatrzymać się warto.

DZIEDZICTWO SZALAYA

Chociaż dopiero w 2013 r. prezydent Bronisław Komorowski
przypieczętował swym udziałem 50-lecie praw miejskich Szczawnicy, jej początki sięgają wstecz wiele stuleci, bo w XIV wieku była
już parafią, więc musiała być i przedtem zasiedlona. Ale dzieje toczyły się tu powoli, dopóki w 1828 r. nie nabył Szczawnicy Węgier
z pochodzenia, Stefan Szalay, dla swojej żony Józefiny. To ich syn
Józef uważany jest za twórcę szczawnickiego uzdrowiska. Już dawniej górale zauważyli, że z góry Bryjarka wypływają kwaśne wody,
które nazywali „szczawy", i stąd nazwa miasta. Józef Szalay postanowił szczawy wykorzystać i stworzyć uzdrowisko na europejską
skalę, to była jego największa ponoć w życiu pasja. Pomagał mu
w tym z powodzeniem krakowski balneolog Józef Dietel, który ma
dziś w Szczawnicy plac swego imienia.

Józef Szalay był pracowity i ambitny, stworzył w szczawnickiej
architekturze modny styl uzdrowiskowy, zbudował pensjonaty,
łazienki, restaurację, wydał pierwszy przewodnik po mieście i „Al-
bum Szczawnicki", stworzył godła rodowe górali, dbał o promocję.
Naprawiała tu swoje drogi oddechowe, żołądki i jelita, kręgosłupy
i stawy arystokracja i elita artystyczna. Bywali w modnym kurorcie
Cyprian Kamil Norwid, Józef Ignacy Kraszewski, Maria Konopnicka, Jan Matejko, Bolesław Prus, Henryk Sienkiewicz. Niestety, dzieci Józefa Szalaya nie miały ochoty iść w ślady ojca i skoncentrowały
się na wydawaniu coraz częściej pożyczanych pieniędzy. Szczawnica
już do nich nie należała, Józef zapisał ją w testamencie Krakowskiej
Akademii Umiejętności, która miała wprawdzie przekazywać potomkom połowę dochodów, ale z tym różnie bywało W roku 1909
sprzedała uzdrowisko hrabiemu Adamowi Stadnickiemu, którego rodzina posiadała Szczawnicę do wywłaszczenia po II wojnie
światowej. Uzdrowisko stało się wtedy własnością państwa, póź-

Wiele szczawnickich domów ma swoje herby, podobnie jak i rody góralskie

poniżej
Pięknie odnowiony Plac Dietla

niej spółki, aż w 2004 r. odzyskał dziedzictwo Andrzej Mańkowski, wnuk Adama Stadnickiego, i żwawo zabrał się do przywracania mu świetności. Założył firmę THERMALEO, pod której pieczą restauruje się dawny wygląd uzdrowiska. Szczawnica pięknieje też dzięki Grzegorzowi Niezgodzie, najpopularniejszemu burmistrzowi Małopolski, który między innymi wyposażył miasto w niesamowite kwietniki, a to w kształcie wiewiórki, a to słonia, pawia, sowy albo choćby zwykłego wazonu, a wszystko w postaci trójwymiarowej, jakby kwietne rzeźby.

ALEJA PODRÓŻNIKÓW

Innego rodzaju, bo naturalne rzeźby – duże polne kamienie – są ustawione przy ścieżce pieszo-rowerowej po pienińskiej stronie Grajcarka. Przy każdej z nich jest mały jeszcze, widać niedawno zasadzony dąb. To Aleja Podróżników. Ich nazwiska odczytywałam na mosiężnych tabliczkach przy okazji obchodów 120-lecia Oddziału Pienińskiego PTTK, który mnie zaprosił jako gościa honorowego, miałam bowiem odsłonić nowy, już szósty, kamienny obelisk, z nazwiskiem mojego męża Tony'ego Halika. Więc rozszyfrowywałam tabliczki ciesząc się, że Tony będzie miał tak wyśmienite towarzystwo. Obok niego – kamień zaprzyjaźnionego wielce Olgierda Budrewicza, któremu oddał swą odznakę The Explorers Club, kiedy Olgierd wstępował do tego ekskluzywnego klubu; nieopodal – Arkady Fiedler; to jego książki zachęcały Tony'ego do wędrowania

po świecie. W szeregu są także kamienie Kazimierza Nowaka, który jeszcze przed wojną przejechał rowerem Afrykę, Pawła Edmunda Strzeleckiego, wielkiego podróżnika, zwłaszcza po Australii, którego imię noszą góry, rzeki i pustynia, Bronisława Malinowskiego, znakomitego antropologa, autora między innymi „Życia seksualnego dzikich". Ścieżka jest zadbana, uczęszczana, wiedzie aż na Słowację i ma szanse zainspirować wielu młodych ludzi do poznawania świata.

Po beskidzkiej stronie Grajcarka też nowość: pięknie urządzona promenada, najdłuższy, bo mający 1800 metrów deptak w Polsce. Dużo na niej estetycznych ławeczek, pełno kwiatów, są nawet też ukwiecone mostki, którymi można się przeprawić na drugą stronę i odwiedzić Aleję Podróżników. W mieście zregenerowano parki, odnowiono uzdrowiska, odbudowano Dworek Gościnny, a że klimat tu wyjątkowo łaskawy – warto tu przyjeżdżać dla zdrowia i wypoczynku. Problem tylko z parkowaniem, bowiem liczącą ledwie siedem tysięcy mieszkańców Szczawnicę odwiedza, zwłaszcza w sezonie, wielokrotnie więcej gości i samochody zastawiają pobocza przez wiele kilometrów przed granicą miasta.

W Szczawnicy znajduje sie wiele kwiatowych rzeźb

na górze
Po lewej stronie Grajcarka znajduje się Beskid Sądecki, po prawej – Pieniny

Kwiatowa rzeźba
na szczawnickim deptaku

KROŚCIENKO NAD DUNAJCEM

I z tego jest dumne, bo Szczawnica tylko nad Grajcarkiem, choć on też do Dunajca wpada. Prawa miejskie otrzymało już od Kazimierza Wielkiego, ale dzisiaj jest wsią, która w roku 1973 została na dziewięć lat połączona ze Szczawnicą.

Krościenko też ma szczawy i też jest uzdrowiskiem. W ładnej, małomiasteczkowej zabudowie góruje gotycki, z XIV wieku, później zbarokizowany kościół p.w. Wszystkich Świętych. Wewnątrz, oprócz XV-wiecznej chrzcielnicy, ofiarowanej ponoć przez króla Jana Olbrachta, zachowały się przepiękne, odkryte w 1949 r., świetnie odrestaurowane polichromie z XIV, XV i XVI wieku, te ostatnie nawet sygnowane przez Jakuba Koraba z Nowego Targu. Najstarsze przedstawiają Męczeństwo św. Barbary i Ukrzyżowanie, te z XVI wieku – sceny z życia Chrystusa, postacie świętych i Sąd Ostateczny. Ciekawostka – na południowej ścianie nawy znalazłam nieco ukryte trzy diabły z wyjątkowo dorodnymi penisami; ponoć była to zemsta malarza za kłopoty z otrzymaniem zapłaty.

DALEJ TROPEM *SACRUM*

Miałam podczas pobytu w Szczawnicy i okolicach dwóch wspaniałych przewodników. Jednym z nich był Piotr Gąsienica z rodu leśników i księży, sam również leśnik z wykształcenia, z przydomkiem Makowski, bo kiedyś do rodu przodków zakopiańskich wżeniła się Makowska i dla odróżnienia od innych Gąsieniców tak już pozostało. Inaczej się nie da, Gąsieniców jest tylu, że jakaś ksywka musi ich odróżniać. Są Gąsienice Krzeptowscy, Ciaptaki, Roje, Gole, Sieczki, Fronki, Bednarze, Sobczaki... W udokumentowanej od 1530 r. genealogii Gąsieniców widnieje aż jedenaście tysięcy nazwisk.

Piotr Gąsienica, dyrektor MOK, zajmował się jednakże w mieście ważnymi sprawami kultury, więc drugim moim *cicerone* był Andrzej Dziedzina o przydomku Wiwer, bo Dziedzinów też jest co niemiara. Najlepszy przewodnik, jakiego można sobie wyobrazić: po prostu wiedział wszystko. To z nim pojechałam zwiedzić Szlachtową, Jaworki, a nawet Czerwony Klasztor po słowackiej już stronie Dunajca.

Szlachtowa i Jaworki mają – na szczęście dla mnie – wspólnego proboszcza, ks. Józefa Włodarczyka, który powiada ponoć, że to on jest dla parafian, a nie odwrotnie. A choć ja nie parafianka – przerwał obiad i ułatwił mi życzliwie zwiedzenie obu kościołów. Szlachtowa – z dawną proweniencją, imponująca architekturą na planie krzyża greckiego, duża, biała świątynia z początku XX wieku zawiodła mnie nieco, nie miała bowiem tak trudnej do określenia duszy. Inaczej Jaworki, modny teraz, wyciszony kurort wiejski, sławny dzięki temu, że ma tu swój dom Nigel Kennedy, ale też dzięki rezerwatom przyrody i zachowanej dawnej cerkwi, będącej teraz kościołem p.w. św. Jana Chrzciciela, bo miejscowi Łemkowie zostali w rezultacie akcji „Wisła" doszczętnie wysiedleni. Świątynia ma rodowód XVII-wieczny, ale jej obecna forma, w tak zwanym stylu józefińskim, wywodzi się z następnego stulecia, kiedy to nakazano budować cerkwie greckokatolickie z cechami kościołów.

We wnętrzu – jeden z najpiękniejszych w Polsce ikonostasów. Po obu stronach ozdobionych medalionami złotych „carskich wrót" i ponad nimi – wspaniałe ikony, pięknie oprawione w rokokowe ramy, bo kiedy powstawały, był już schyłek XVIII wieku. Są obowiązkowe ikony namiestne, przedstawiające patrona świątyni, więc tutaj św. Jana Chrzciciela, a także Chrystusa Nauczającego, Matkę Bożą z Dzieciątkiem i najbardziej czczonego świętego (w tych rejonach niemal obowiązkowo jest to św. Mikołaj). Są ikony pokłonu ze scenami między innymi Ukrzyżowania i Zmartwychwstania. Jest Deesis, są apostołowie, prorocy, patriarchowie. Każdy, kto tu przyjdzie, ma na co popatrzeć i co przeżyć, ikonostas narzuca całej świątyni klimat zaciekawienia i kontemplacji.

W Szczawnicy zachowało się sporo dawnych, pięknych willi drewnianych

Hotel SPA „Budowlani"
na stoku góry Bryjarka

CZERWONY KLASZTOR

To już wprawdzie nie Polska, ale teraz łatwo przeprawić się na Słowację – ze Szczawnicy to naprawdę przysłowiowy rzut beretem, zaś ze Sromowiec Niżnych jeszcze bliżej – tak że bardzo radzę skorzystać z samochodu, ścieżki rowerowej, a nawet własnych nóg i odwiedzić Czerwony Klasztor, niegdyś siedzibę kartuzów, a potem kamedułów. Mój znakomity przewodnik – mówmy o nim w skrócie Wiwer, bo tak się woli nazywać – opowiedział mi historię tego ciekawego zabytku. Choć często turyści słyszą, że nazwa klasztoru wywodzi się od krwi, którą spłynął w czasie wojen husyckich, prawda jest bardziej banalna: otóż niegdyś miał mury z czerwonej cegły, które z czasem pokryto tynkiem i stały się białe. Inna hipoteza powiada, że miano klasztoru zostało zainspirowane przez czerwone pokrycia dachu. Ale dzieje jednego z najpiękniejszych zabytków nad Dunajcem z krwią są jednak związane, ufundował go bowiem w 1320 r. magnat węgierski Kokosz Berzeviczy, który w ramach kary za morderstwo nie dał wprawdzie własnej głowy, ale musiał ufundować sześć klasztorów i zamówić w nich cztery tysiące mszy za odkupienie duszy ofiary. Klasztor otrzymał liczne przywileje, wśród nich prawo łowienia ryb w Dunajcu – to ważne, bowiem reguła zabraniała kartuzom spożywania mięsa, a ryby mogli jeść jedynie chorzy. O skromnym życiu zakonników świadczą pozostałości klasztoru i eksponaty na wystawie. Kościół św. Antoniego był zrazu gotycki; kiedy nastali kameduli, przebudowali go w stylu barokowym. Dzisiaj można go zwiedzić bez problemu, bo od 1966 r., po odbudowie, stanowi muzeum. A z jego dziedzińców roztacza się przepiękny widok na Trzy Korony.

SPŁYW PRZEŁOMEM DUNAJCA

Najlepiej jednak oglądać ten najbardziej znany szczyt Pienin, płynąc przełomem Dunajca. To naprawdę jedna z największych atrakcji turystycznych Polski, a – moim zdaniem – także Europy.

Dzień był piękny, słoneczny, kiedy wypłynęłam ze Sromowiec Wyżnych-Kątów, zobaczyłam więc na rzece tratw co niemiara, a że towarzyszyła nam góralska kapela, wytworzył się klimat radosnego święta. Po lewej stronie podziwiałam góry polskie, po prawej słowackie, jako że Dunajec w tej części biegu to rzeka graniczna. Dowiedziałam się, że naszych tratw jest około trzystu, flisaków prawie siedmiuset, a każdy, kto chce być dyplomowany i bezpiecznie pracować na wodzie, musi zdać stosowne egzaminy, także ze znajomości okolicy i jej dziejów, jest bowiem nie tylko wioślarzem, ale też przewodnikiem i opowiadaczem zabawnych, góralskich dykteryjek: im dowcipniej, tym ma większe wzięcie. Usłyszałam zatem, że przełom – według legendy – wyrąbał mieczem Bolesław Chrobry, ale

może to jednak król węży, uciekając przed niejakim Ferkowiczem, wyrzeźbił swym pokrętnym cielskiem równie pokręcony wąwóz. Tak czy inaczej powstało pomiędzy skalnymi załomami siedem niezwykle malowniczych pętli. Jedno z przewężeń nosi nazwę Zbójnicki Skok, bo podobno przeskoczył je sam Janosik w czasie ucieczki przed węgierskimi prześladowcami. Nogi musiał mieć niezwykle długie, bo szerokość Dunajca wynosi w tym miejscu 12 metrów; flisak pokazał mi jakoby odciski stóp zbójnika.

Zakręty sprawiły, że Trzy Korony obracały się przed nami niczym panna na wydaniu.

– Policz teraz – mówił Wiwer. – Wcale nie są trzy, tych skałek na szczycie przecież jest jedenaście!

I tak jest naprawdę, trzy jednak najwyższe. Po Koronach przyszedł czas na Wilczą Skałę, Głowę Cukru, wreszcie na przepiękną Sokolicę, którą flisak nazwał „matką Pienin". Wysiadłam z żalem w Szczawnicy, bo na spływ aż do Krościenka czasu nie starczyło. Zachwycona, zrelaksowana, przekonana, że jeszcze nie raz tu powrócę. I tak będzie.

Góralska orkiestra podczas spływu Dunajcem

na górze
Spływ Dunajcem

TARNÓW
MIASTO RENESANSU

Tarnowska Starówka z gotycką bazyliką

po prawej
Tarnowski ratusz, renesansowy (XVI w.), powstał na miejscu budowli gotyckiej.

Ale gotyku też i jeszcze wcześniejszych czasów, bowiem średniowieczny gród zaistniał tu, na Górze św. Marcina, już w IX wieku. Czczono w nim ponoć pogańskiego boga Peruna, ale legenda powiada, że zapuścił się tu kiedyś za jeleniem dzielny wojak Spycimir i postanowił tu postawić kościół p.w. św. Marcina. Od tegoż Spycimira wywodzi się jakoby wielce zasłużony dla Tarnowa ród Tarnowskich. Oczywiście, musiał tu powstać zamek, spalony jednakże w XV wieku przez Węgrów i podupadły doszczętnie na skutek familijnych sporów bitewnych pomiędzy rodami Ostrogskich i Tarnowskich, został w 1747 r. rozebrany. Teraz stanowi malowniczą ruinę, miejsce niedzielnych wycieczek, i nic w tym dziwnego, bo widok stąd na miasto ja też oceniłam jako wspaniały.

Tak więc zamku już w Tarnowie nie ma, ale to, co pozostało z dawnych czasów jest dostatecznym – zapewniam – magnesem, żeby się tam wybrać.

TAK JAK NA WAWELU

Dosłownie – to może przesada, ale pracowali w Tarnowie architekci i rzeźbiarze ci sami, co w krakowskim grodzie, bowiem był z nim związany właściciel Tarnowa Jan Amor Tarnowski, a później jego syn Jan, hetman wielki koronny. Jako że prawa miejskie uzyskano tu w 1330 r., potrzebny był miastu ratusz, więc wybudowano go, oczywiście w stylu gotyckim, bo taki wówczas panował. Gdy nadeszły jednak czasy Odrodzenia, włoski architekt, ten właśnie od Wawelu, Jan Maria Padovano, przyozdobił siedzibę władz miasta piękną renesansową attyką zwieńczoną maszkaronami, wolutami i sterczynami, a w jej 28 blendach znajdowały się niegdyś portrety Tarnowskich, od Spycimira poczynając. Mimo późniejszych remontów i konserwacji tarnowski ratusz zachował i gotycką wieżę, i renesansowe attyki, i jest do dzisiaj jednym z najpiękniejszych w Polsce. Dziś ma w nim swoją siedzibę Muzeum Okręgowe.

TERAZ – *SACRUM*

Po *profanum* – zajmijmy się *sacrum*. A więc trzeba odwiedzić tarnowską katedrę, gdzie też współistnieją ze sobą przyjaźnie gotyk i renesans, ale tylko wewnątrz; na zewnątrz bowiem świątynia jest

Gotycka bazylika katedralna
w Tarnowie przebudowana
w XIX w. w guście neogotyku

W prezbiterium bazyliki
znajdują się wspaniałe nagrobki
Ostrogskich i Tarnowskich

neogotycka, z przełomu XIX i XX wieku. Jej wystrój pamięta jednakowoż dawne czasy, a zwracają w nim uwagę przede wszystkim pomniki grobowe, jakich nie ma nigdzie w Polsce. Jedna z ponoć najpiękniejszych w całej Europie rzeźb renesansowych to portret nagrobny Barbary z Tęczyńskich, pierwszej żony Jana Tarnowskiego, przypisywany włoskiemu mistrzowi Bartłomiejowi Berrecciemu, nadwornemu artyście Zygmunta I Starego. Trzeba jednak przyznać, że nagrobek drugiej małżonki Jana Amora Tarnowskiego, Barbary z Rożnowa, też zwraca uwagę. Trzeci nagrobek kobiecy, Zofii z Tarnowskich Ostrogskiej, to prawdopodobnie też dzieło Jana Marii Padovana, chociaż pewności do dziś nie ma. Męskie grobowce są jeszcze ciekawsze artystycznie. Miejsce upamiętnienia wiecznego spoczynku w katedrze hetmana Jana Tarnowskiego i jego syna Jana Krzysztofa to największy w Polsce pomnik grobowy – piętrowy, o wysokości 14 metrów. Też jest dziełem Padovana. Postacie są zróżnicowane psychologicznie – ojciec władczy, syn słabowity, tak jak było w rzeczywistości. Jest także pomnik trzech Janów ufundowany przez czwartego, hetmana Tarnowskiego: Jana Amora kasztelana krakowskiego, jego przyrodniego brata, wojewody sandomierskiego oraz zmarłego w niemowlęctwie synka Jana Aleksandra. W prezbiterium katedry znajduje się jeszcze jeden pomnik i ten zachwycił mnie najbardziej: książęca para Zuzanna i Janusz Ostrogscy klęczą przed ukrzyżowanym Chrystusem, zaś przy nich umieszczono alegorie cnót, rzeźby proroków i pięknie wyobrażone, pogrążone w smutku aniołki. Wysoki na 13 metrów nagrobek to już dzieło barokowe (poprzednie należą jeszcze do renesansu).

Sgraffiti na fasadzie kamieniczki na rynku w Tarnowie

na górze
Kamieniczki na rynku w Tarnowie

Zafascynowały mnie też w katedrze piękne, gotyckie sklepienia, z tejże epoki stalle i niezwykle bogaty skarbiec, ale przyjechałam do Tarnowa przede wszystkim po to, by raz jeszcze zobaczyć znajdujące się tuż w sąsiedztwie Muzeum Diecezjalne, najstarsze tego rodzaju w Polsce. Nie ma nic bardziej przejmującego w naszej sztuce gotyckiej niż pokazane tu „Opłakiwania Chrystusa" z Chomranic i Czarnego Potoku, jak gotyckie Madonny i przepiękne tryptyki, w tym dwa z Lipnicy Murowanej, skąd zostały ukradzione, a po odzyskaniu – oddane dla bezpieczeństwa w pieczę tarnowskiemu Muzeum, wbrew – jak usłyszałam – pragnieniom proboszcza i parafian z Lipnicy.

Pomnik Jana Szczepanika

poniżej
Cmentarz żydowski w Tarnowie

po prawej
Kościół św. Trójcy na Terlikówce
(1595-1597)

Tropem *sacrum* proponuję jeszcze ciekawą wycieczkę do pobliskiej, prawie tarnowskiej wsi Zawada, bo tam zachował się właśnie ważny dla dziejów miasta drewniany kościółek św. Marcina, którego patron, namalowany w głównym ołtarzu, hojnie dzieli się z biedakiem połą swego płaszcza. Obraz jest XVII-wieczny, ale kościół o dwa wieki starszy, późnogotycki, świetnie zachowany, kryty gontem, z wieżą słupową i podcieniami, które nazywa się „soboty", gdyż sypiali pod nimi pielgrzymi, aby zdążyć na wcześniejsze niedzielne nabożeństwa, chociaż twierdzi się też, że miały znaczenie konstrukcyjne. Wewnątrz piękny krzyż i cztery rzeźby późnogotyckie, a pod łukiem tęczowym – ciekawostka! – wisi drewniany łańcuch spięty kłódką, wyrzeźbiony ponoć przez niewidomego pasterza, który przestrzegł, by nie zdejmować kłódki, dopóki Polska nie będzie niepodległa. Lata upłynęły, Polska odzyskała wolność, a kłódka ciągle wisi...

MIASTO WIELU KULTUR

Oprócz Polaków zamieszkiwały Tarnów różne nacje, najwięcej Żydów, którzy zaczęli się tu osiedlać już w XV wieku, a w XX stanowili już 45 procent ludności miasta. Jedni należeli do jego elity, inni do biedoty, zajmowali się handlem i drobnym przemysłem, przyczyniając się do wzbogacenia miasta. Mieli swoje synagogi, kamienice, a nawet dzielnice i ulice, jak Grabówka i ulica Żydowska.

Ruiny zamku w Tarnowie

po prawej
Bima, centralna część Starej
Synagogi z XVII w., zniszczonej
przez Niemców w 1939 r.

poniżej
Koncert muzyki cygańskiej
w wykonaniu rodziny Andraszów

na następnych stronach
Tarnowska Starówka

Niemcy zamordowali ich tu, na miejscu, na rynku i w lesie w Buczynie, innych wywieźli do obozu w Bełżcu. Została po nich w mieście tylko bima ze spalonej przez Niemców synagogi, czyli przekryte kopułą miejsce, na którym czytano Torę, a także kirkut, cmentarz z kilkuset zachowanymi macewami. I jeszcze ciekawy dział judaików w miejscowym muzeum, który sąsiaduje z ekspozycją poświęconą Romom.

Kultura Romów jest jednakże wciąż w Tarnowie żywa. Mieszka ich tu spora społeczność, mają w mieście Centrum Kultury Romów, Stowarzyszenie Romów w Tarnowie, zasiadają w międzynarodowych romskich organizacjach, a przede wszystkim potrafią żyć przyjemnie. Nigdzie nie słyszałam tak pięknej romskiej muzyki, jak w wykonaniu znanej tarnowskiej rodziny Andraszów. Nic dziwnego: Adam, rzecznik praw Romów, ukończył średnią szkołę muzyczną w Tarnowie, Szandor – wyższą, w klasie skrzypiec, w Krakowie, mała Dżuliana oszałamiająco tańczyła, a wszystko to działo się w jedynej w Polsce cygańskiej (nie przeszkadza im to określenie), stylowo zaaranżowanej restauracji „Kemoro", gdzie nie tylko zjadłam regionalne, cygańskie przysmaki, ale poznałam też największego polskiego cyganologa, Adama Bartosza, mego przewodnika nie tylko po miejscach, ale też po romskich dziejach i problemach.

Ale o tym, że Tarnów jest najcieplejszym miastem w Polsce, dowiedziałam się od Marcina Pałacha, szefa Tarnowskiego Centrum Informacji, który wie wszystko o swoim mieście, a nawet jeszcze więcej. Więc dla tarnowskiego słońca też tam warto pojechać, po co gdzieś do obcych krajów, skoro ojczyzna taka piękna.

NIEZWYKŁA WIEŚ
FUTOMA

Jerzy Panek, animator futomskiej kultury

po prawej
Kościół p.w. św. Walentego
w Futomie został wzniesiony
wg projektu St. Majerskiego
w latach 1910-1911

Naprawdę niezwykła. Nie dlatego, że jest piękna, urokliwie po-łożona, że ma szczególnie ciekawe zabytki, fascynującą historię. Ale dlatego, że jej mieszkańcom się chce. Chce się sobie pomagać na-wzajem, chce się dbać o wygląd wioski, a przede wszystkim – chce się zachować tradycję, kontynuować ją i dokładać jeszcze do niej nowe cegiełki.

DNI FUTOMY

Zaprosił mnie do Futomy – a starał się o to prawie trzy lata – w imieniu wsi pan Jerzy Panek. – Oj, to daleko, na Podkarpaciu, w jakiejś gminie Błażowa, stracę dużo czasu – myślałam, wymawia-jąc się. Ale uległam w końcu, bowiem takie samo imię i nazwisko nosił mój zmarły przyjaciel. Jak tu więc odmówić Jerzemu Panko-wi?...

Gdybym odmówiła – nie poznałabym jednej z najciekawszych wiejskich społeczności w Polsce.

Przyjechałam zatem jako gość honorowy dorocznego festiwalu Dni Futomy na początku lipca. I wiecie, od czego się zaczął? Na zapadłej, jak się to niegdyś mawiało, niewielkiej wiosce podkarpac-kiej ludowe uroczystości otworzył koncert w kościele, na którym chór i orkiestra kameralna z Kraczkowej „Nicolaus" pod dyrekcją Zdzisława Magonia wykonała jakże trudną i rzadko grywaną „Mszę a-moll" Józefa Elsnera! Była to zasługa energicznej i gospodarnej sołtyski Małgorzaty Drewniak, która pierwsza ponoć pogratulowa-ła zespołowi zdobycia nagrody „Fryderyka", więc i muzycy jej ule-gli. Wiejska społeczność biła brawa z entuzjazmem. Nic dziwnego – była przecież wykształcona muzycznie, choć nie w salach koncer-towych filharmonii, ale przez własny dorobek muzyczny i taneczny.

OPOWIEŚCI JERZEGO PANKA

Dziś w Futomie każdy ma swój dom, na ogół pięknie zadbany i z ogródkiem, ma swój samochód, a chociażby motor, telewizor, radio, telefon stacjonarny, częściej komórkowy. Dzieci uczą się w szkołach i na wyższych uczelniach. Jedna córka państwa Marii i Jerzego Panków jest inżynierem budowlanym, druga – architek-

Autorka wśród muzyków
ludowych

poniżej
Panorama Futomy

tem, starszy syn – inżynierem elektrykiem, młodszy jeszcze uczy się w gimnazjum. Przyjeżdżają do rodziców na święta, wakacje i na Dni Futomy.

– Nie wyobraża sobie pani, jaka była tutaj kiedyś bieda – wspomina pan Jerzy. – Zamiast podłogi – polepa z gliny, ciasno, głodno, ziemniaki i kasza. Jajka? Owszem, były kury, ale jajka sprzedawało się w mieście, żeby mieć pieniądze choćby na zapałki i naftę. Świnię ubijano jedną w roku, na Boże Narodzenie. Chłopi szukali pracy w Rzeszowie, trzydzieści kilometrów od Futomy, we Lwowie, w Przemyślu, chodzili tam w sandałach plecionych ze słomy, na grubej drewnianej podeszwie. Kto to dziś pamięta...

Pan Jerzy zna dzieje rodziny od pradziadka Antoniego. Przewoził końmi towary tak zwaną drogą węgierską od Lwowa i Przemyśla do Budapesztu i odwrotnie; z Wieliczki sól, od Madziarów zboże, a może i wino. Pakowali towar w stukilowe worki, sami je musieli dźwigać. Jeden spadł na dziadka, przygniótł go, zrobiła się przepuklina, a że lekarzy wówczas w okolicy nie było – dziadek Antoni umarł. Jego syn Jan był rolnikiem. Pan Jerzy pamięta, jak zwoził siano z łąki krową, bo konia nie mieli. Pamięta też, że długo nie było czym pokryć dachu, najpierw była jedlina, potem dopiero słoma. Dziadek opowiadał trzem synom, a wśród nich ojcu Jerzego, Władysławowi, o swoich przeżyciach wojennych. Szedł z marszałkiem Piłsudskim ze Lwowa do stolicy, by wziąć udział w Bitwie War-

szawskiej. Po drodze jego oddział trafił na mokradła i grzązł w nich przez dwa tygodnie, myśleli, że nie przeżyją. Z głodu zjedli konie. Uratował ich cud, czyli pole młodych, malutkich jeszcze ziemniaków, które znaleźli przy leśniczówce. Wykopali je, upiekli, najedli się, a co zostało – schowali pod poduszki i zasnęli snem kamiennym. Tak mocno, że nie słyszeli, jak im te ziemniaki ukradziono. Odżyli w Warszawie. Dostali tam nie tylko nową, zachodnią broń, ale także szynki, boczki, kaszanki, wszystko tłuste i przepyszne...

Dziadek wrócił do domu po „Cudzie nad Wisłą".

Ojciec Władysław podobno był taki zdolny, że gdyby mógł się uczyć, to – mówiła matka – zostałby księdzem albo profesorem. Ale był rolnikiem i kołodziejem Mieli dwie krowy; konia nadal brakowało, trzeba było go pożyczać od bogatych za odrobek. Dopiero gdy Jerzy miał lat 15, więc na początku lat 70. kupili konia zamiast telewizora. Młody Jurek terminował u taty, pasał krowy, a gdy ukończył szkołę podstawową, zdobył tytuł mistrza stolarskiego. W wojsku robił meble dla dowódcy, więc mu było dobrze. Na rozstanie kapitan ofiarował mu intarsjowany stolik, który go zainspirował do wytwarzania mebli rzeźbionych. Jego żonę Marysię też: wyrzeźbiła dla mnie piękną skrzynkę na pamiątkę z Futomy.

Futomianka w stroju regionalnym

na górze
Podkarpacki krajobraz Futomy
z gryką na pierwszym planie

ZACHOWAĆ TOŻSAMOŚĆ

We wsi było biednie, ale nie smutno. Najpierw powstał ludowy zespół taneczny „Futoma" i szybko zaczął odnosić sukcesy, nawet za granicą. W 1990 roku futomianie znowu się zmówili i założyli kapelę. Najczęściej grywają na swojej wsi i na Podkarpaciu, ale zdarzało im się wyjeżdżać i zdobywać nagrody na imprezach wojewódzkich, we Francji, w radio, telewizji. Dlaczego? Bo są naprawdę autentyczni. Jerzy Panek, obok Ani Rząsy drugi solista kapeli, ma zapisane słowa piosenek jeszcze od dziadka, a nawet pradziadka, a melodie też pamięta.

Pani Ania Rząsa, futomska
solistka

Z Jasła do Krosna jest droga prosta,
Wybiła męża pani Dąbrowska.
Wybiła, wyprała, do lasu wygnała,
Psiakrew, babo, szanuj dziada...

Zwrotek jest wiele, wszystkie bardzo dowcipne i wpadające w ucho. Choćby słynna *Koko, koko,* której ideę jakoby przejęto z Futomy do piosenki, co stała się hymnem Euro 2012. A oto jej futomskie zwrotki:

Cieszcie się chłopaki,
Cieszcie się dziewczęta,
Bo Wojtek tej nocy
Wysiedział kurczęta...

Koko, koko, koko, koko, kokokoko...

Wysiedział kurczęta
Na słomie w stodole
I nie zważał, że go
Słoma gdziesik kole

A o świcie ranem
Wychodzi z gdakaniem
I wszystkie kurczęta
Wychodziły za nim.

Zbiegły się kumoszki
Gwałtu narobiły.
Kto widział, by z chłopem
Kurczęta chodziły.

Nie mogła matula
Synowi poradzić
Musiała jaj kupić
Na nich go posadzić.

Koko, kokoko, kokokoko.

Ładne, prawda? A słyszałam to wszystko, wiele bisów, podczas festiwalu Dni Futomy. Słuchałam, zajadając się pysznymi futomskimi przysmakami i pijąc zdrowie moich gospodarzy smacznym, miejscowym winem.

Naprawdę warto odwiedzić wioskę, której udało się zachować tożsamość. Nie dzięki inspiracji od góry, a z własnej inicjatywy. W 2007 r. powstało Stowarzyszenie Kultywowania Kultury i Tradycji Ziemi Futomskiej. Ważną w nim rolę pełni bard wioski Mieczysław A. Łyp, który opisuje jej dzieje mową wiązaną i wydaje coraz to nowe tomiki.

Chcieć to móc.

A oto przepis na sławetny futomski „bulwiok" według „Pyszności futomskiej kuchni z zastosowaniem ziół":

SKŁADNIKI:

Ciasto: ½ litra mleka, 3 łyżki masła, 3 łyżki oleju, 10 dkg drożdży, 1 łyżka soli, 3 jajka, 1 łyżka cukru, mąki ile zabierze.

Nadzienie: 2 kg ziemniaków, 1 szklanka śmietany kwaśnej, 1 kg sera białego, ½ kostki masła, 1 łyżka mięty suszonej lub świeżej, 2 cebule, ząbek czosnku, sól, pieprz.

Zarobić ciasto i zostawić do wyrośnięcia. Ziemniaki ugotowane i przestudzone wymieszać z serem, śmietaną i zrumienioną na maśle cebulką. Wymieszać wszystko razem z solą, pieprzem i miętą. Na blachę wyłożyć ciasto, następnie farsz ziemniaczany, dobrze ubić, posmarować rozmąconym jajkiem. Piec w nagrzanym piekarniku przez około 35 minut w temp. 180°C.

Futomski „bulwiok"

na górze
W Futomie szacunku dla tradycji nabywa się od dziecka

następne strony
Koncert orkiestry „Nicolaus" w futomskim kościele

ACH, TEN
BIECZ!

Wieżę przy farze zdobią
piękne *sgraffiti*

po prawej
Gotycka fara pod wezwaniem
Bożego Ciała

Ten Biecz, o którym nie słyszał prawie żaden z moich znajomych, więc postanowiłam ich oświecić, a przy okazji uświadomić pozostałych Polaków, bo pewnie 90 procent z nich nie zna tego jednego z najciekawszych miasteczek w Polsce. Dziś – „miasteczek". Dawnymi czasy Biecz był jednak wielce szacownym grodem, i to jednym z największych w Polsce.

Z Bieczem związanych jest wiele legend. Jedna z nich powiada o rycerzu, wprawdzie zamożnym, ale lubującym się w rozboju. Nie był on jednak taki całkiem zły, skoro zdarzało mu się uwalniać niewolników. W ten sposób uwolnił również małą dziewczynkę Bietkę. Jako że był zajęty napadaniem na karawany – część akcji legendy toczy się w czasie i na terenie wypraw krzyżowych – nie mógł opiekować się dzieckiem, więc oddał je na wychowanie na dwór książęcy. A sam dalej łupił, aż został wreszcie pojmany, i to podczas modlitwy, kiedy nie miał przy sobie zbroi ani miecza. No i skazano go na śmierć. Wyrok przez ścięcie już miał być wykonany na rynku miasta, kiedy podbiegła do zbója piękna dziewczyna, zarzuciła mu na głowę chustę, wołając: „mój ci on!". Oczywiście była to Bietka, a skruszony zbój Becz, bo tak się zwał, postanowił za swoje skarby wybudować miasto na wzgórzu nad rzeką Ropą. Był to właśnie Biecz, tak nazwany od nazwiska założyciela, chociaż skrupulatni badacze nie dowierzają legendzie, sugerując odmienną etymologię.

KAT DO WYNAJĘCIA

Inna legenda, a może to jednak nie legenda, powiada, że w Bieczu mieściła się szkoła katów. Jeden kat był tu na pewno, miasto miało bowiem sąd i prawo miecza. Tego specyficznego „rzemieślnika", który ścinał głowy i wieszał je ku przestrodze na bramie miasta, wypożyczano nawet – w razie potrzeby – innym miastom. Roboty było dużo, w okolicach harcowali bowiem *tołhaje*, czyli zbóje, zwani też beskidnikami, i w jednym tylko roku 1614 stracono ich ponoć aż 120. W Muzeum Ziemi Bieckiej można obejrzeć miecz katowski, a jedną z renesansowych kamienic uważa się za dom kata.

Legenda o królowej powiada, że św. Jadwiga ofiarowała złotą klamrę ze swego buta biednemu kamieniarczykowi, który z wdzięcz-

Portret Madonny nad
bocznym wejściem do fary

poniżej
Nagrobek starosty bieckiego
Mikołaja Ligęzy

ności wykuł jej stopę w kamieniu umieszczonym w nadprożu kościoła św. Ducha. Nie sposób tego jednak sprawdzić, kościół został
bowiem rozebrany.

PIĘKNIEJE W OCZACH

W Bieczu byłam trzykrotnie, o różnych porach roku, i to nie za-
wodowo, żeby coś napisać (choć teraz tak się złożyło), ale dla przyjemności obcowania z tym niezwykłym miastem. Ostatnio udała
się tam ze mną przyjaciółka, malarka, która wiele lat temu spędza-
ła w Bieczu tydzień poślubny. I choć nie była to Riwiera, wcale się
tam nie nudziła, nie tylko z powodów tak bardzo osobistych, ale
i z uwagi na urodę miasta oraz rozmaitość i rangę jego zabytków.
I co teraz stwierdziła? Że Biecz znacznie wypiękniał. Ale najpierw
o historii.

STOLICA POLSKI

Poza neolitem, kiedy okolica była już zasiedlona, zapisane dzieje miasta sięgają XIII wieku, w roku 1257 otrzymało ono bowiem
prawa magdeburskie. Istniał już wtedy pierwszy z trzech bieckich
zamków. Żaden nie zachował się do dzisiaj. Od 1306 r. miasto było
królewskie i królowie od niego nie stronili. Oprócz zamków mieli
tu także dwór, który często odwiedzali. Bywali tu władcy Piastów
i Jagiellonów, a że od września 1311 r. do kwietnia 1312 r. miał tu

swoją siedzibę Władysław Łokietek, można powiedzieć, że Biecz był wówczas stolicą Polski! Na pewno miał status powiatu, i to bogatego, skoro należało do niego 11 miast i 264 wsie. Leżał na ważnym szlaku handlowym, ruchliwym zwłaszcza na odcinku łączącym Polskę z Węgrami, a to dzięki importowi wina, co także sprzyjało pomyślności. Rozwijały się też rozmaite rzemiosła, zwłaszcza płóciennictwo i sukiennictwo.

Niestety, potop szwedzki zapoczątkował upadek miasta. W 1721 r. przyszła zaraza, po której przy życiu pozostało ponoć zaledwie 30 mieszkańców. Rozbiory Polski też hamowały gospodarkę. Pierwsza wojna światowa była dla Biecza dość łaskawa, za to II wojna znowu doprowadziła do wyludnienia (niedaleko stąd do Przełęczy Dukielskiej, gdzie zginęło 95 tysięcy żołnierzy radzieckich i polskich, a i cywilów nie oszczędzano).

Kiedy moja przyjaciółka przyjechała tu w podróż poślubną w latach 60. ubiegłego wieku, Biecz wyglądał jeszcze ubogo i prząśnie. Ale było to miasto wciąż bardzo zasobne w świadectwa przeszłości.

Wiele ornamentów sprawia wrażenie świeckich

na górze
W prezbiterium fary znajdują się przepiękne, renesansowe stalle

„Zdjęcie z krzyża" w ołtarzu
głównym fary pochodzi ponoć
z warsztatu Michała Anioła

po prawej
Ołtarz główny – fragment
polichromii w farze pod
wezwaniem Bożego Ciała.

POLSKIE CARCASSONNE

Jest tych świadectw i dzisiaj zadziwiająco dużo, ale są bardziej
zadbane. Zachował się średniowieczny układ przestrzenny Biecza.
Miasto zbudowano na planie elipsy otoczonej murami (o długości 1200 metrów), z których niewiele przetrwało, ale i tak – podobnie jak Paczków i Chełmno – Biecz nazywany jest „polskim
Carcassonne". O dawnej warowności zaświadczają trzy baszty –
Kowalska, Rzeźnicka i Radziecka – oraz fundament barbakanu
i część baszty, która przetrwała przy szpitalu św. Ducha, najstarszym z zachowanych budynków szpitalnych w Polsce, założonym
jeszcze przez królową Jadwigę. Na prostokątnym rynku, podobno
największym w kraju w stosunku do powierzchni grodu, dominuje uroczy ratusz, symbol miasta, który stanowił niegdyś nie tylko
siedzibę władz, ale pełnił też funkcje obronne. Najpierw był gotycki, potem renesansowy, z czasem dodano jego smukłej wieży hełm
w stylu baroku. Zachodnia część budynku nie uniknęła klasycyzmu,
wschodnią w XIX wieku rozebrano.

Podobno miał co robić w ratuszu sławny kat biecki, jako że pod
wieżą znajdował się loch dla skazańców, zwany turmą, a nad nim
cela tortur, którą także zawiadywał. Można w niej dziś oglądać kopie narzędzi męki.

Na wieży ratusza przetrwała tarcza zegara z XVI wieku, oryginalna, bo z podziałem na 24 godziny. Na jednej ze ścian można obejrzeć tablicę poświęconą Marcinowi Kromerowi – ten wybitny humanista, historyk, biskup warmiński urodził się bowiem
w 1512 r. właśnie w Bieczu, gdzie doczekał się także pomnika na
placyku koło fary. Od jego imienia nazwano też renesansową kamienicę – Kromerówkę – która jednak nie należała do niego, ale do
rodziny Chodorów.

PRZEBOGATA FARA

Tablica poświęcona Kromerowi znajduje się także w farze, czyli kościele Bożego Ciała, jednej z najpiękniejszych i najzasobniej
wyposażonych świątyń w Polsce. Jest późnogotycka, powstawała
w XV i XVI wieku. Jej trzy nawy są równej wysokości, czyli halo-
we, przekryte pięknym sklepieniem sieciowym. W najstarszej części
fary, prezbiterium, znajduje się wspaniały ołtarz z 1604 r., a w nim
obraz „Zdjęcie z Krzyża" z warsztatu samego Michała Anioła, nad
nim zaś „Zaśnięcie Matki Boskiej", ponoć dłuta syna Wita Stwosza, Stanisława. To nie wszystko, bo po obu stronach prezbiterium
olśniewają kunsztem rzeźbiarskim przebogate renesansowe stalle,
a obok ołtarza zwraca uwagę pulpit muzyczny z 1633 r. Powiadają,
że nie tylko jedyny tego rodzaju w Polsce, ale i w Europie. Mało
tego, popatrzcie na bogato złocony, wielce kunsztowny XVII-wiecz-

Późnogotyckie drzwi
w prezbiterium fary

poniżej
W XVI-wiecznym Domu z Basztą
mieści się Muzeum Ziemi Bieckiej

po prawej
Gotycko-renesansowo-
klasycystyczny ratusz w Bieczu.
Pod jego wieżą znajdował się
niegdyś więzienny loch zwany
turmą.

ny ołtarzyk po lewej, jakoby z drzewem genealogicznym Matki Boskiej, na łuk tęczowy z gotyckimi figurami, na ciekawe nagrobki
renesansowe, wśród których wyróżnia się opatrzony pomnikiem
nagrobek starosty bieckiego Mikołaja Ligęzy. Z bliższych nam czasów – sklepienie prezbiterium pomalował w 1905 r. wybitny artysta
Włodzimierz Tetmajer.

Naprawdę jest co oglądać, a do tego wystrój świątyni jest bardzo spójny z atmosferą skłaniającą do zadumy i refleksji. Całe to
bogactwo historyczne i zabytkowe zadziwia w zapomnianym dziś
miasteczku, które liczy niespełna pięć tysięcy mieszkańców.

W Bieczu wszystko tchnie przeszłością. Budynek Starej Apteki
pochodzi z 1523 r., dworek Nędzówka z XVIII wieku, synagoga z XIX
wieku, a fundamenty kościoła przy farze są jeszcze romańskie. To
prawda, że to niezwykłe miasto jest jakby schowane na wschodnich
krańcach Małopolski i tylko z Nowego Sącza jest doń blisko, ledwie 50 kilometrów, najdalej ze Szczecina – aż 770 kilometrów, ale
gdy będziecie w Krakowie, a tam się często bywa, to do pokonania
zostaje jeszcze tylko 125 kilometrów. Kolej, niestety, do Biecza nie
dociera, choć istniała tu od 1884 r. Ostatni pociąg osobowy zatrzymał się na bieckiej stacji 10 maja 2010 r. Jeśli nie macie samochodu, musicie przesiąść się do autobusu. Zapewniam, że warto.

NA NOWY ROK
W BIESZCZADY SKOK

Pomnik dobrego wojaka
Szwejka w Sanoku

po prawej
Festyn na rynku w Sanoku

Warto się tam wybrać także na święta Bożego Narodzenia. Nawet kiedy w całym kraju plucha, to w Bieszczadach na ogół śnieg i słońce, a do tego przyjazne, bo niezbyt wysokie, malownicze – także zimą – połoniny. Czy może być piękniejsza świąteczna atmosfera?

Ja również wybieram się tam na święta i sylwestra, do Hotelu Górskiego w Ustrzykach Górnych, w którym znajduje się stała ekspozycja moich zdjęć – w restauracji krajobrazy, a na korytarzach fotografie bieszczadzkich cerkiewek; żebyście wiedzieli, co zrobić z czasem, jeśli nie będzie dobrej pogody na wyprawę w góry. Cerkiewki, dziś już przeważnie kościoły, są naprawdę ciekawymi zabytkami architektury drewnianej i warto je poznać.

NAJPIERW DO SANOKA

Królewskie miasto Sanok, którego mam zaszczyt być obywatelem, to brama do Bieszczad. Trzeba ją przekroczyć, by dotrzeć – przez Lesko, Ustrzyki Dolne, Czarną – do moich ulubionych Ustrzyk Górnych. Proponowałabym więc zatrzymać się w grodzie, który stanowił niegdyś lenno królowej Bony i dlatego ma w herbie węża połykającego Saracena – to był herb jej rodziny, Sforzów.

Sanok stanowił też uposażenie wdowy Sońki, czyli Zofii Holsztyńskiej, czwartej żony Władysława Jagiełły, która spędziła tu na zamku wiele lat. Zamek chlubi się jednak przede wszystkim nieprzychylnie ocenianym przez poddanych weselem Jagiełły z trzecią żoną – Elżbietą Granowską. Król był już jej czwartym mężem. Kontrowersyjny ślub – Granowska nie była księżniczką i jako kobieta po czterdziestce nie mogła już mieć, jak sądzono, dzieci – został zawarty w sanockiej farze 2 maja 1417 r.

MIASTO BEKSIŃSKIEGO

Dziś sanocki zamek (zrazu gotycki, później renesansowy), w którym niedawno uzupełniono utracone skrzydło, jest siedzibą Muzeum Historycznego. Największą atrakcją jest jedna z trzech najbardziej liczących się na świecie i najważniejsza w Polsce kolekcja ikon, którą szczególnie polecam.

Miłośnicy Zdzisława Beksińskiego mogą tu też zobaczyć dużą ekspozycję dzieł, które sam artysta przekazał Sanokowi, tu się bowiem urodził i tu leży pochowany wraz z rodziną. W mieście znajduje się także rondo jego imienia, w 2012 r. stanął tu również jego pomnik.

Na miejskim deptaku znajduje się pomnik dzielnego wojaka Szwejka na pamiątkę znamiennego postoju w Sanoku – jak to opisuje Jaroslav Hašek – wojsk austriackich, które od 15 lipca 1915 r. przebywały tu kilka dni, głównie w domach wiadomych ucieh.

Ikony można podziwiać także w sanockim skansenie, malowniczo rozłożonym po prawej stronie Sanu. To naprawdę jedno z najpiękniejszych muzeów na wolnym powietrzu w Europie i największe w Polsce pod względem liczby zabytków. Zobaczycie w nim sakralne i świeckie budownictwo Łemków, Bojków, Pogórzan, Dolinian, a niedawno przybyło wspaniale zrekonstruowane miasteczko galicyjskie.

Synagoga w Lesku (1626-1654)

po lewej
Dawna cerkiew grecko-katolicka
św. Michała Archanioła
w Smolniku została w 2013 r.
wpisana na Listę Światowego
Dziedzictwa UNESCO

poniżej
Skansen w Sanoku

GDZIE TU SPRAWIEDLIWOŚĆ?

Mam nadzieję, że dopisze Wam pogoda i będziecie mogli przejść się po mieście znamienitego humanisty Grzegorza z Sanoka (1407-1477), Adama Didura, jednego z najwybitniejszych basów przełomu XIX i XX wieku, a także patrona dorocznych festiwali. Z miastem był również związany Aleksander Fredro.

Sanok to jednak przede wszystkim gród pogranicza, w którym splatały się zgodnie różne kultury, nadając mu oryginalny charakter. Dziś staje się coraz piękniejszy i wygodniejszy do życia, a myślę, że to także zasługa burmistrza trzeciej już kadencji, Wojciecha Blecharczyka, jedynego z moich przyjaciół, który przeczytał wszystkie dzieła Darwina. I pomyśleć, że nigdy nie podążył jego tropem na Galapagos, a ja aż dwa razy. Gdzie tu sprawiedliwość?

Cerkiew greckokatolicka
p.w. św. Mikołaja w Hoszowie,
obecnie kościół katolicki
p.w. bł. Bronisławy

poniżej
Połonina Caryńska jesienią

KOŁYSANKI WOŁOSATEGO

I już jedziemy dalej, w kierunku liczącej ledwie stu mieszkańców wsi Ustrzyki Górne, bo jestem także jej obywatelem honorowym. Czym na ten honor zasłużyłam? Ano, kiedy pytano mnie, dokąd jeżdżę z największą przyjemnością, odpowiadałam, że do Wenecji, Paryża i... Ustrzyk Górnych, przysparzając ponoć tej wsi turystów, którzy zostawiali tu coraz więcej – chociaż pewnie wciąż za mało – grosza. Wyznanie moje było szczere, albowiem odwiedzam stolicę Bieszczad prawie od pół wieku, najlepiej tu odpoczywając, w ruchu, podczas wspinaczek na jakże urokliwe połoniny. Przy dobrej pogodzie widać z nich nie tylko Ukrainę i Słowację, ale nawet Tatry.

Zatrzymywałam się zrazu na przyjaznej stacji GOPR-u, z czasem przeniosłam się do wspomnianego Hotelu Górskiego, gdzie – jako obywatel honorowy – mam nawet własny pokój z widokiem na Połoninę Caryńską, a pod oknem szemrze kołysanki potok Wołosaty.

Metryka Ustrzyk Górnych sięga początków XVI wieku, kiedy wieś wchodziła w skład włości możnego rodu Kmitów. Z czasem stała się wsią królewską, później władały nią różne rody. Bywały czasy, w których Ustrzyki łupili i palili *tołhaje*, a chłopi uciekali z nimi aż na Węgry, bo świadczenia na rzecz panów były zbyt uciążliwe.

SIWE WOŁY NA HALICZU

Przed wojną mieszkali w Ustrzykach Polacy, Bojkowie (bieszczadzcy górale pochodzenia ukraińskiego, zwanego też „rusińskim"), kilka rodzin żydowskich. Wieś należała do gminy Lutowiska, przed wojną największej i najgęściej zaludnionej w kraju. Dziesięć

razy do roku odbywały się tu sławne targi siwych wołów, których około dwóch tysięcy pasało się na pustych dziś zboczach Halicza. Teraz moja gmina jest zaludniona najrzadziej: Żydów Niemcy wymordowali, Bojkowie zostali po wojnie wysiedleni przymusowo na Ukrainę i Ziemie Odzyskane, a Polacy wynieśli się zagrożeni przez UPA. Z czasem osiedlili się w tej gminie i w sąsiednich żądni romantycznych przygód „bieszczadnicy", o których do dzisiaj krążą legendy.

W 1973 r. założono Bieszczadzki Park Narodowy – jego pracownicy stanowią znaczną część dzisiejszych mieszkańców gminy. Lutowiska próbują odbudowywać dawny prestiż organizowanymi w lipcu Dniami Żubra.

Cerkiew w Równi (XVIII w.) jest jedną z najpiękniejszych w Bieszczadach

na górze
Chatka Puchatka, kultowe schronisko PTTK na Połoninie Wetlińskiej

CHATKA PUCHATKA

Bieszczady mają nieodparty urok o każdej porze roku. Wiosną urzeka mnie energia przedzierających się ku słońcu śnieżyc (nie mylić z przebiśniegami!), pokrywających niższe partie gór. Latem – wdycham niesamowite aromaty kwiatów i ziół. Jesienią uwodzą mnie czerwienie buków, złoto jaworów, kolorowe patchworki jagodzisk, rykowiska jeleni. A zima – to w Bieszczadach „ruska bajka": wprawdzie spod śniegu wychyla się jedynie dziewięćsił, śliczny oset górski, ale oszronione drzewa jarzą się w słońcu jak żyrandole z kryształów Swarovskiego. Jest pięknie.

W Wigilię można podzielić się w Hotelu Górskim opłatkiem i zjeść pierogi z suszonymi śliwkami i kaszą gryczaną, a w pierwszy dzień świąt lub na Nowy Rok wspiąć się na Połoninę Wetlińską, gdzie króluje w schronisku PTTK, zwanym Chatką Puchatka, najznamienitszy dziś z bieszczadników – Lutek Pińczuk. To o nim śpiewał Jerzy Michotek piosenkę: *Mam konia na połoninie...*.

Legendarny bieszczadnik
Lutek Pińczuk

poniżej
Hotel Górski w Ustrzykach
Górnych, tu ma swój
pokój autorka

Dzisiaj towarzyszy mu życzliwa wszystkim ludziom na świecie Dorotka. Konia już nie ma, ale pamięć o nim zakodowana jest w murach schroniska, Lutek wwiózł tu bowiem na grzbiecie swego przyjaciela cztery tysiące cegieł!

POD MAŁĄ RAWKĄ

Zimą trzeba uważać na szlakach – zdarzają się lawiny, może być ślisko, ale przy dobrej pogodzie da się przejść na Połoninę Caryńską i wrócić do Ustrzyk Górnych przez Przysłup. Tam też jest schronisko z gorącą herbatą – nie pamiętam, czy góralską, zakrapianą rumem, bo przydałaby się – byle nie w nadmiarze – na rozgrzewkę zimą.

Norwegowie mówią, że nie ma złej pogody, tylko złe ubranie. Warto o tym pamiętać i zaopatrzyć się na bieszczadzką wyprawę w odpowiednie buty, czapkę, rękawiczki i kurtkę chroniącą od wiatru, bo na połoninach lubi wiać. Jeśli zechcecie odpuścić sobie o tej porze szczyty, a najwyższy z nich to Tarnica (1346 m n.p.m.), proponuję udać się do bacówki pod Małą Rawką. Ładny spacer, a poza tym przed bacówką stoją dyby, w których można sobie zrobić pamiątkowe zdjęcie. Przyjemnie byłoby wspiąć się nawet na Dużą Rawkę, na Rozsypaniec, Halicz, moje ukochane Bukowe Berdo, ale można te wyprawy odłożyć na łaskawsze pory roku.

Narciarzom tymczasem polecam wycieczki do Ustrzyk Dolnych, bo tam są świetne wyciągi, a także olimpijski basen dla tych, którzy narciarstwa nie uprawiają.

BĘDZIECIE WRACAĆ

W moim Hotelu Górskim też jest basen, ale niewielki, za to także mała siłownia, ping-pong i bilard. Może się tam zobaczymy w sylwestra?

Tymczasem wrócę na bieszczadzkie szlaki, żeby Wam przypomnieć, iż koniecznie trzeba pozdrawiać spotykanych na nich turystów – taki miły zwyczaj. Jeśli raz pojedziecie – będziecie tam wracać, bo te góry są magiczne. Nic dziwnego, że kazał nad nimi rozsypać swoje prochy znakomity poeta Jerzy Harasymowicz, który pisał:

Przed Jordanem wycina się w zamarzniętej Osławicy krzyż

na górze
Karpacki Jordan w Komańczy

Wszystko, co kocham jest w górach
I wszystkie wiersze są w bukach.
Zawsze, kiedy tam wracam,
Biorą mnie klony za wnuka.

następne strony
Połonina Caryńska: na dole jeszcze jesień, na górze - już zima

Te właśnie piękne wersy zostały wyryte na pomniku poety postawionym na Przełęczy Wyżniańskiej. Zróbcie sobie tam zdjęcie, idąc na Połoninę Wetlińską. I zadumajcie się na chwilę.

SPIS TREŚCI